Desmitificación de una diva:

La verdad sobre La Lupe

por: *Juan A. Moreno-Velázquez*

Traducción de Carlos José Restrepo

GRUPO
EDITORIAL
norma

Título original en inglés:
Demystifying a diva:
The truth behind the myth of La Lupe
© Juan A. Moreno-Velázquez, 2003
Copyright © 2003
Editorial Norma S.A.
Apartado 195040, San Juan, Puerto Rico 00919-5040
Teléfono: 788-5050 y 788-6010 - Fax: 788-7161

Reservados todos los derechos.
Diseño de cubierta: Carmen Torres Santiago
Diseño y armada electrónica: Tanya Rivera Santiago
Fotografía de cubierta y contracubierta:
Archives of Izzy Sanabria at www.salsamagazine.com

Impreso por D'vinni Ltda.
Printed in Colombia

CC: 20680
ISBN: 958-04-7429-X

Este libro se compuso en caracteres AGaramond

Tabla de contenido

Dedicatoria:

Al Todopoderoso, fuerza madre-padre que da unidad a éste y a todos los universos que existen o existirán, la razón de todo… A mis padres, Luis y Andrea, quienes me señalaron el norte, y a sus sabios consejos, que sólo ahora empiezo a comprender; a mis hermanos: Justo, que siempre ha sido una versión mejorada de mí mismo; Luis y Gladys, siempre presentes; a mi hermana Ivonne, mi eterno ángel de la guarda; a mis hijas Janelle, Samadhi y Sitlalli, fuentes de amor inagotable que me maravillan todos los días de la vida; a mi tío George y mi tía Paula, a sus 103 años siempre en mi mente; mi tía Sylvia del Villard, un verdadero ejemplo para nuestro pueblo y una verdadera fuente de luz en mi vida; a Luz Cariño, mi madre espiritual, cuyo amor y sapiencia me han conferido una visión distinta del universo; a todos mis sobrinos y sobrinas, que son, en cierto modo, espejo de lo que fuimos y son, de muchos modos, las posibilidades de lo que podemos llegar a ser; a Jorge Delgado, Michael González, José Guzmán, Danny de Jesús y, mi compadre, Frank Cortés, amigos desde la infancia, mis hermanos por siempre; Betty Altschuler, que ha redefinido la palabra amistad; Arlene Piñón Aboitiz quien sencillamente es increíble; Vivian y Madeline Negrón, dos verdaderas amigas; Gloria Rodríguez, quien me tendió una mano en una época muy importante; a Víctor Gallo y Sergio Bofill, quienes me suministraron información y materiales invaluables; Dominick y Ana Torres, de Bate Records, siempre amigos; Juan Altieri y mis amigos en Fish and Tale, gracias por su apoyo; Héctor Maisonave, verdadero guerrero del negocio de la música que proveyó su discernimiento magistral para este proyecto; Míster Salsa, Israel Izzy Sanabria, que siempre ha sido accesible; Nando Alvericci en SOBs, Diego y Mary en La Cazuela, Pete Marsala y Sal Riccobono y todos mis amigos en Barrows Pub, quienes me adoptaron durante este proceso; Roger, de Nells, y Glee Ballard, del Copacabana, por su apoyo; al recuerdo y la obra de Ernesto Tito Puente y de Ramón Mongo Santamaría, y en agradecimiento por la información que tan servicialmente ambos me suministraron sobre Lupe Yolí; al recuerdo de mi muy buen amigo José Fajardo, ese gran músico que tanto me enseñó sobre la música en Cuba y cuyo legado sigue vivo; Ismael Miranda, gracias por el *bacalao con viandas*; Ray Barreto, el filósofo de la música latina, siempre dispuesto a cooperar; Gilberto Calderón, *mejor conocido como* Joe Cuba, constante buen amigo y quien ha compartido conmigo tantas de sus increíbles anécdotas; Celia Cruz, quien no pudo ver este libro finalizado, pero que siempre será la Primera Dama de la Salsa, y un gran ejemplo para todos, siempre disfrutaré su Azúcar; Eddie Palmieri, el último mohicano, por sus apreciaciones invaluables a través de los años; mi hermano mayor Joe Conzo, por todo el tiempo que dedica como consultor amistoso a tantas de mis ideas locas, y por su amor a nuestra historia y nuestra tradición musical; a todos mis amigos en la industria musical, especialmente a los músicos, que hacen de éste un mejor lugar al dar tanto de su arte, y son parte de mi trabajo cada día; mi hermanita espiritual Elvira Domínguez y a todos los discjockeys que hacen girar el mundo al ritmo de la música latina; Nilda Borrero y todas las bailarinas que convierten nuestra música en una expresión visual; Gerson Borrero y todos mis colegas del diario/LA PRENSA, donde comenzó este trabajo; Laura Cyre Rodríguez, una diva cuya pasión por La Lupe mantiene vivo el fuego; mis compadres Joséan Lozano y Frankie Bellido, que han ido mucho más allá de lo que era su deber como padrinos de mis hijas; mi amiga Sandra García, que en un punto crucial durante este proyecto me guió en la dirección correcta; mi prima la Congresista Nydia M. Velázquez, una constante inspiración; al doctor Ángelo Falcón, una fuerza silenciosa pero potente en nuestra comunidad; Johanna y Myriam, madres de mis niñas, quienes han realizado un trabajo loable en la crianza de nuestras hijas; a todos los amigos que han estado en las buenas y en las malas, en especial los de Puerto Rico, ellos saben de quiénes hablo; Francisco Papo Vasallo, que me enseñó lo que es un amigo; a Edgar, Javi, Phillip, Cheo y los muchachos de Mi Amigo, a Freddy Perico Ortiz y Evelyn, en Pericos, en la juerga desde niños; a Carlitos y todo el equipo de Carlis Pub; a Geño y Geñito, del Coabey, a Johnny Surita y Antonia Rey, quienes estuvieron presentes y conocieron a la verdadera *Yiyiyi*, y que se cercioraron de que la historia se contara correctamente; a Rainbow y Justin, Charisse y René: gracias por confiar en mí. Y, muy especialmente, al recuerdo de Lupe Victoria Yolí Raymond, cuya increíble trayectoria es la inspiración para este libro.

Estaré por siempre en deuda con todos ustedes. ¡Los amo a todos!

Juan

Introducción

La Lupe: Desmitificación de la Diva

La Lupe es sin duda la figura más controvertida de la historia de la música afrocaribeña. Sus presentaciones se encuentran entre las más poderosas y sensuales en la historia de la música latina, haciendo a finales de los años cincuenta lo que a Madonna le mereció fuertes críticas a mediados de los años ochenta.

Nunca antes, nunca después, una artista ha podido despertar sentimientos tan encontrados entre el público.

Mientras unos veían sus presentaciones llenas de sexualidad e insinuación, y otros las consideraban simplemente vulgares, en cualquier caso la mayoría vio y sigue viendo en ella un reflejo de su propio ser en la lucha por triunfar en la vida. Indudablemente, todos entendieron que el fuego interno que poseía La Lupe era inimitable y que su talento no tenía igual.

Después de más de una década de su prematura muerte a los 56 años, La Lupe sigue siendo una figura importante en la historia del mundo del espectáculo. Es todavía una de las figuras más discutidas de la música, alcanzando una altura casi mítica.

La Lupe todavía es venerada por muchos que aún visitan su tumba en el cementerio de Saint Raymond, en el Bronx, para conmemorar su nacimiento, su fallecimiento, o simplemente para rendirle homenaje. Su vida es todavía una fuente de inspiración para algunos, que ven en ella la valentía que falta a muchos al enfrentar las numerosas luchas de la vida.

Una artista que muchos expertos del campo del espectáculo reconocen que se adelantó por lo menos dos generaciones a su tiempo, La Lupe es más famosa hoy que en los días de su apogeo. El éxito de una obra de teatro y de un musical sobre la artista, la discusión actual de dos proyectos cinematográficos y las incesantes ventas de sus discos dan prueba de este hecho.

Contenido del libro

Este libro explora los interrogantes que han intrigado a los seguidores de La Lupe durante más de cincuenta años. ¿Consumía drogas? ¿Quiénes fueron sus amantes? ¿Qué fue lo que hizo y sigue haciendo de La Lupe una artista tan cautivadora y duradera? ¿Qué hizo que su música fuera parte integral de su época? ¿Por qué, hasta el día de hoy, su música continúa vigente, aún después de transcurridas dos generaciones? ¿Por qué se siguen vendiendo sus discos?

Sus creencias religiosas, especialmente su época en la santería (una religión de origen afrocubano), y su conversión a la fe cristiana, donde llegó a ser pastora ordenada, se examinan aquí. Lo que es aún más importante, se analizan el mito y la leyenda de La Lupe, presentando la verdad que ha ocultado la leyenda y desmitificando a la diva.

Su música, su mito, su leyenda, siguen formando parte de la vida de los latinos y el folclor de Nueva York. La historia ha probado que su influencia sobre artistas en la actualidad se alcanza a ver desde Madonna hasta Jennifer López.

La emoción y el talento de Lupe le permitieron comunicarse de una manera nunca antes vista, con una sensualidad y una agresividad manifiesta que sólo aparecieron nuevamente cuando Madonna se lanzó a los escenarios dos décadas más tarde.

Este libro explora el intrincado viaje que fue la vida de la diva conocida como Lupe Yolí. Su estilo fue único, su potente voz siempre se mantuvo a tono con sus sentimientos, y sus seguidores la reconocieron y admiraron porque entendían su autenticidad como cantante. Lupe logró expresar dentro y fuera del escenario lo que la mayor parte del público no podía decir durante los turbulentos años sesenta.

Famosa por su carácter explosivo, la cantante no callaba sus palabras y llevaba las emociones a flor de piel. Su comportamiento no se ajustaba en absoluto a la imagen de una mujer de los sesenta en Norteamérica, y mucho menos a una latina. Como ha dicho en numerosas ocasiones el promotor Héctor Maisonave: La Lupe era más agresiva que la mayoría de los hombres de la época; y hasta el día de hoy continúa como una de las figuras más discutidas en la historia del espectáculo.

La Lupe fue un número único en su clase, considerada brillante por muchos y escandalosa por otros; la Yiyiyi dio mucho de qué hablar en su época y también en el presente. Durante un período de diez años La Lupe se elevó a alturas nunca antes alcanzadas por ninguna latina, y sólo hasta el reciente éxito de Jennifer López una latina ha alcanzado un nivel comparable de popularidad. En el proceso, La Lupe abrió las puertas para tantas otras artistas que llegaron mucho tiempo después que ella.

Los comienzos de esta historia

El furor sobre La Lupe volvió a encenderse en el año 2000, ocho años después de su fallecimiento, ocurrido el 29 de febrero de 1992.

El 28 de enero del año 2000 fui nombrado editor de espectáculos del **el diario/LA PRENSA**, el diario latino más antiguo y de mayor circulación de la ciudad de Nueva York. A comienzos de febrero, Jesse Ramírez, un columnista de farándula que trabajaba en esos días para el periódico, me hizo caer en cuenta de que el aniversario de la muerte de La Lupe se cumpliría a finales del mes.

Yo me mostré de acuerdo en que sería una historia importante para seguir y desarrollarla, y luego de hablar con Gerson Borrero, mi editor en jefe, empecé la investigación que me terminó llevando al resurgimiento de la gran diva cubana, que se había mantenido en un olvido temporal por casi una década.

La Lupe era poco menos que reverenciada por algunos sectores de la comunidad latina y su popularidad había perdurado a través de los años. Aunque nunca fui un seguidor, la curiosidad periodística se apoderó de mí, así que decidí emprender el proyecto sin tener idea de adónde me iba a conducir.

Mis primeros recuerdos de La Lupe se remontan hasta mi niñez. Yo debía de tener unos nueve años la noche en que estaba viendo televisión con mi hermana Ivonne, de ocho, y mi hermano Justo, de cinco, cuando se anunció la aparición de La Lupe en El Show de Myrta Silva, un programa de variedades que se transmitía en Puerto Rico en la década de los sesenta. En cuestión de segundos, justo antes de que La Lupe apareciera en la pantalla del televisor, mi madre cambió de canal. Hasta ahí llego La Lupe, pero los pensamientos de esa noche permanecieron en el fondo de mi mente durante el resto de mi vida.

¿Por qué mi madre, una mujer progresista para su época, cambió de canal? No había necesidad de preguntárselo: La Lupe era precedida por su fama dondequiera que fuera. Era obvio que mi madre calificaba el espectáculo de La Lupe como no apto para mi hogar, y con eso bastaba en casa.

Ahora tenía por fin la oportunidad de hacer algo para responder esas preguntas y comencé un proyecto investigativo que con el tiempo se convirtió más en una misión que en una empresa periodística.

Mientras más investigaba lo que se había escrito acerca de La Lupe, más me convencía de que todavía faltaba mucho por decir sobre esta increíble mujer que muchos recuerdan como la Yiyiyi.

Las anécdotas, la leyenda y, de hecho, su mito, contaban la historia de una mujer talentosa cuya brillante carrera se había visto truncada por los demonios del abuso de las drogas y de la santería. Las anécdotas hablaban también de una mujer promiscua y llena de una intensa sexualidad, dueña de una risa casi diabólica, que devoraba hombres jóvenes por un simple placer sexual. El mito dejaba al descubierto una vida agitada y las grandes y frecuentes dificultades que encontró la gran cantante cubana al emprender una carrera musical. Estas anécdotas eran también fáciles de rescatar, pues durante años habían permanecido en el recuerdo de seguidores y detractores como la leyenda de La Lupe.

La realidad era otra. Mi investigación me permitió saber que apenas un puñado de personas conocieron de cerca a esa mujer cuyos seguidores eligieron como *la Reina de la Música Latina*.

Me sorprendió descubrir que las personas más cercanas a Lupe, como su hija Rainbow y su hijo René, se habían mantenido principalmente al margen, sin sacar provecho pleno del nombre de su madre y rara vez hablaron en público sobre el legado de La Lupe. Otras, como su secretario y compañero ocasional de viaje Johnny Surita, la actriz Antonia Rey y el cantante Ismael Miranda, guardaban también silencio, sin haber compartido nunca al público sus experiencias al lado de La Lupe.

Insatisfecho por la leyenda, comencé a hacer preguntas, primero a Mongo Santamaría, luego a Tito Puente; y, como por arte de magia, una tras otra, las personas que habían hecho parte de su vida empezaron a formar parte de la mía. Si no supiera que fue así, y hasta el presente puedo afirmar que no lo sé, diría con seguridad que la mano de Lupe Yolí se oculta en este escrito y que ella ha sido una guía consciente de este relato.

Fue en el proceso de hablar a fondo con estas personas cuando la verdadera vida de La Lupe comenzó a desplegarse. Las anécdotas que contaban las personas más allegadas a La Lupe hicieron trizas las ideas anteriores sobre la vida de *la Reina de la Música Latina*, y desmitificaban por completo a la diva.

Poco a poco el rompecabezas que fue la vida de Lupe Yolí fue apareciendo ante mis ojos y todas las piezas empezaron a encajar mágicamente. La figura armada del rompecabezas no correspondía a la de una cantante desenfrenada y drogadicta. La imagen que resultó era completamente distinta, y esta nueva Lupe podrá ahora ser conocida de manera íntima tanto por sus millones de fanáticos como por sus detractores.

En aquel tiempo escribí una serie de tres partes que, aunque tenía la intención de rendir un tributo a una mujer que había dejado una huella imborrable en el mundo del espectáculo, generó un enorme revuelo que sigue vivo hasta la fecha, dos años después.

Hasta ese día crucial, parecía que La Lupe había sido casi olvidada por la comunidad en general. La motivación detrás de esos artículos era muy humilde y buscaba animar a los legisladores locales para que nombrasen una calle en su honor. Poco sabía yo que, después de publicados, estos artículos habrían de revivir el legado de La Lupe con una explosión.

En el plano personal, la serie sobre La Lupe obtuvo el primer lugar por Cobertura Destacada sobre la Comunidad Hispana que otorga la Asociación Nacional de Publicaciones Hispánicas. No obstante, mucho más era lo que le esperaba a la memoria de la mujer que en vida fue Lupe Yolí.

Como resultado directo de los artículos, el Teatro Rodante Puertorriqueño (TRP), la organización teatral latina más antigua y respetada de la ciudad de Nueva York, comisionó la obra *La Lupe: mi vida, mi destino*.

La reacción del público fue increíble. El teatro se llenó todas las noches, tanto de jóvenes que querían conocer la historia como de quienes habían visto a Lupe en vivo y querían rememorar una época importante de sus vidas. La obra, que se representó simultáneamente en inglés y español, se convirtió en la más taquillera de la larga historia de la compañía.

En Puerto Rico se montó también un musical, *La Lupe, la Reina*, protagonizado por la actriz Sully Díaz, causante de que La Lupe cobrara nuevamente vida en la presentación original del TRP. Esta obra mereció también encomiosos aplausos y agotó taquillas en sus presentaciones en el Centro de Bellas Artes de Guaynabo, Puerto Rico.

El éxito de ambas obras condujo de inmediato a conversaciones sobre la realización de un guión de cine, y en cuestión de meses La Lupe llegó a estar tan vigente como en sus mejores días. El interés generado logró incluso involucrar a los políticos de Nueva York, y el 12 de junio de 2002 la calle 140 y avenida Saint Ann en el Bronx fue rebautizada **La Lupe Way**.

Actualmente, el revuelo que despierta la vida de La Lupe es tanto si no más como el que originaba en el apogeo de su carrera hace treinta años. Cosa muy apropiada, ya que Lupe Yolí, pese a la controversia que envolvió su vida y sus presentaciones, fue siempre capaz de llevar a su público hasta el frenesí.

Para este libro se entrevistaron muchos músicos prominentes. Se recopilaron más de 50 horas de grabaciones de personalidades tales como Mongo Santamaría, quien dio a La Lupe su primera oportunidad, el director de orquesta Johnny Pacheco y el *Rey de la Música Latina*, Tito Puente, que dieron sus impresiones sobre la diva de las divas, así como de muchos otros que jugaron un papel importante en su vida.

Nuestras entrevistas incluyeron, entre otros, al musicólogo Joe Conzo, quien estuvo presente durante la era de Tito Puente, el período más exitoso como cantante para La Lupe; Víctor Gallo, presidente del sello discográfico Fania, la compañía dueña de la música de La Lupe; su peinadora, Mercedita; Ortilia García, madrina espiritual en su religión adoptiva, la santería; así como los empresarios Ralph Mercado y Héctor Maisonave, quienes dirigieron y produjeron la mayoría de sus presentaciones. Estos son sólo algunos de los muchos que compartieron vivencias con la *Reina de la Canción Latina* y aportaron para esta investigación.

Su hijo René y su hija Rainbow compartieron conmigo sus recuerdos y experiencias al lado de su madre. El pastor Johnny Surita y la actriz Antonia Rey, las personas más allegadas a La Lupe, suministraron claves invaluables para la solución final del acertijo que fue la vida de Lupe Yolí.

¿Desmitificación de una diva?

Este libro echa una mirada sobre la leyenda y el mito de La Lupe y presenta una percepción realista y humana sobre el personaje único que fuera Lupe Victoria Yolí Raymond. Está escrito desde la perspectiva de un periodista y no se desvía de la senda de la veracidad, tras confirmar o rebatir las numerosas anécdotas que rodean el mito de La Lupe.

Su vida es la saga de una mujer que fue educada para ser maestra y tuvo que enfrentar obstáculos poco menos que insalvables para seguir la carrera de cantante.

En primer lugar tuvo que vencer el desprecio de su padre por el mundo del cabaret. Más adelante tuvo que rebelarse contra los principios de la revolución cubana de Fidel Castro, hasta que finalmente La Lupe se vio obligada a dejar su país para viajar a México y luego a Estados Unidos. En Norteamérica La Lupe enfrentó el reto de la maternidad, redoblado por ser madre soltera. En contra de los prejuicios raciales que imperaban en la época, así como de las diferencias culturales, Lupe realizó su sueño; y a pesar del alto costo personal, se convirtió en una diva de fama planetaria.

En Norteamérica La Lupe encontró un éxito casi instantáneo, pero también el dolor y sufrimiento que afligieron a tantas artistas de su época. Hemos examinado de cerca las razones de su caída, ocasionada por los monstruos del misticismo descarriado, la falta de orden en su vida y las condiciones internas del mercado de la música latina, que no supo dar más cabida a su talento a mediados de los años setenta.

También echamos una mirada a su vida personal (atormentada por la enfermedad mental de su marido) a través de los ojos de sus allegados más cercanos. Además, analizamos los motivos de su negativa a abandonar la escena musical latina para cruzar al lado anglo, cuando sus versiones de *Fiebre, Out of my Head, Se Acabó* y otras canciones pudieron haberla catapultado para ser la primera gran estrella latina internacional.

En efecto, La Lupe fue reprobada por algunos miembros importantes del establecimiento musical latino que vieron en sus presentaciones en inglés un intento de abandonar la escena latina y dar el salto al mundo musical angloamericano. Unos dicen que fueron celos profesionales ante oportunidades que tan difíciles eran de conseguir para algunos y tan fáciles para La Lupe, otros dicen que se trató de un verdadero disgusto con esa diva que parecía haber triunfado instantáneamente sin haber pagado su parte. La realidad fue precisamente lo opuesto: Lupe le debía todo a su fanaticada y nunca tuvo intención de abandonar el mercado latino, y había pagado, de hecho, un alto precio por el éxito. Estas disputas quedan saldadas definitivamente en el presente texto.

Por último, veremos cómo la cantante encontró la libertad y la felicidad en su búsqueda religiosa tras haber llevado una vida llena de dolor, sufrimiento y desilusión.

Esta es una historia conmovedora. No se omite nada en la labor de sacar a la luz la realidad oculta tras el mito.

Ahora sabemos que la espera valió la pena. La verdad oculta sobre la vida de Lupe Victoria Yolí Raymond se revela por fin, realizando su último deseo: el ser respetada. Hemos podido compaginar una historia que no sólo nos ha brindado una gran satisfacción personal, sino que, lo que es más importante, seguramente satisfará también a quienes presenciaron esa época cuando el nombre de La Lupe era el más encumbrado de la música latina. Sabemos que en algún lugar del universo *la Reina* descansa al fin en paz y nos mira con esa gran sonrisa que siempre la caracterizó.

Billie Holliday, Janis Joplin (ídolo de Lupe), Edith Piaf, Dorothy Dandridge, Rachel Welch, Rita Hayworth, Ertha Kitt, Lupe Vélez, Isadora Duncan y Evita Perón son nombres de mujeres cuyo legado ha resistido el paso del tiempo. El aporte de estas mujeres abrió las puertas a quienes vinieron después de ellas, dando poder al conjunto de mujeres jóvenes que brillan actualmente en el mundo de la música y el espectáculo. La saga vital de La Lupe, tal como se presenta aquí, permitirá que esta diva latina se una a las filas de las más grandes artistas de la historia, siendo la suya una trayectoria imperecedera.

Capítulo I
Dolores crecientes en San Pedrito

Una rosa es una rosa es una rosa
Gertrude Stein (1874-1946)

El sonido de las guitarras y canciones de los guajiros[1] indicaba que la Navidad se acercaba a San Pedrito[2], un pueblo perdido en las afueras de Santiago de Cuba.

La provincia de Santiago está localizada en el extremo occidental de Cuba, a unas 400 millas de La Habana, capital de la iIsla, la mayor de las Antillas.

San Pedrito era un pueblo pintoresco en la década de los treinta. Relativamente cercanos del norte de Jamaica y el oriente de Haití, los santiagueños[3] habían enriquecido su cultura y su música con la influencia cultural de estos países, puesto que muchos jamaiquinos y haitianos habían estado pasando durante siglos de unas islas a otras.

La ciudad es famosa también por sus *comparsas* una costumbre musical carnavalesca en la que los músicos y grupos de personas bailan por las calles al son de instrumentos de percusión tradicionales, su creatividad musical y su rico folclor campesino.

En los años treinta el pueblo era básicamente de tipo rural tradicional. Las calles de San Pedrito no estaban asfaltadas: sólo había caminos de tierra o gravilla, más apropiadas para viajar en burro que en auto.

Lupe en 1936

1   Campesinos cubanos.

2   Pueblo ubicado en las afueras de Santiago de Cuba, es famoso por su folclor y por ser la cuna de La Lupe.

Aparte de tocar música, bailar, interesarse por el béisbol o entretenerse con el habitual juego de dominó, la mayor parte de la gente trabajaba en el campo, distinguido por su olor a tabaco y el aroma dulzón y penetrante de las plantaciones de caña de azúcar. No había mucho que hacer en ese pueblo donde casi todos llevaban una vida sencilla.

No había transporte público. En San Pedrito, si alguien se quería desplazar de un lugar a otro y no tenía un caballo o un burro, tenía que caminar, normalmente, por los largos trechos de carreteras polvorientas que conducían a Santiago.

La ciudad se había quedado detenida en el tiempo, y a menos que uno viviera allí nadie sabría que existía. Casi todos laboraban en los campos y se tenía suerte si se recibía un salario.

Tirso Yolí era uno de esos afortunados. Miembro en su juventud de la selección nacional cubana de béisbol, Yolí había visto truncarse su promisoria carrera debido a una lesión. Había soñado con jugar en las Ligas Mayores, con ser receptor de los Yankees de Nueva York o con tener al menos la oportunidad de exhibir su talento en las Ligas de Color.

Sin embargo el destino lo puso en otro camino. Una lesión había destruido sus sueños, pero, pese a su mala suerte, Tirso se las había arreglado relativamente bien. Mediante los contactos hechos cuando era deportista, Yolí se había conseguido un buen empleo con la fábrica de ron Bacardí[5], lo que le permitía llevar mejor vida que la mayoría de sus coterráneos.

Para Tirso y su joven esposa, Paula Raymond, la Navidad de 1936 sería muy especial. Paula, una mujer apasionada por la música y las artes, esperaba su segundo hijo de un momento a otro. La joven pareja

---

3   Localizada ahora en Puerto Rico, Bacardí, la fábrica de ron más grande del mundo, tuvo su origen en Cuba. En ese entonces era una gran fuente de empleo y trabajar allí confería una categoría especial entre la gente pobre y en su mayoría desempleada del pueblo.

Paula Raymond en la década de los sesenta.

abrigaba grandes esperanzas para esta criatura, y a pesar de las estrecheces económicas estaban muy emocionados ante la perspectiva de volver a ser padres.

La noche del 23 de diciembre fue particularmente despejada, llena de estrellas y de un frío inusual, pero en el hogar de los Yolí el joven matrimonio celebraba cálidamente el nacimiento de una hermosa niña que recibió el nombre de Lupe Victoria Yolí Raymond[4].

Paula había elegido con mucho cuidado el nombre de su segundo retoño. Un espiritista le había dicho que esta criatura iba a ser muy especial, que iba a causar impacto en el mundo entero. Voraz aficionada al cine y la música, puso a la niña Lupe en honor de la diva mexicana Lupe Vélez[5]. Las estrellas predecían que la nenita llegaría a ser famosa por derecho propio y que millones de seguidores la conocerían como *la Reina de la Música Latina.*

Paula bautizó a todos sus hijos en honor a estrellas de la época. La mayor, Norma, recibió el nombre de la actriz Norma Talmadge, y el menor, Tirso Rafael, nacido pocos años después, recibió el del cantante y actor mexicano Rafael Valedón.

No obstante, de los hijos de Paula, Lupe fue la que acaparó todo el talento artístico. Desde muy pequeña Lupe se mostró como una niña amistosa, feliz y extrovertida, que sonreía sin parar mientras corría

---

4   Su nombre no era Guadalupe Victoria, como se ha escrito tantas veces, ni Yolanda Guadalupe Victoria, como aparece en el libro 100 años de bolero. Se llamaba Lupe Victoria Yolí Raymond, o Lupe Yolí, como se presentaba ella siempre.

5   Lupe Vélez fue una gran actriz mexicana que alcanzó el éxito en Hollywood gracias a su indudable talento y su belleza física. Su vida, sin embargo, fue muy trágica y se suicidó antes de cumplir los 40 años de edad.

descalza por las polvorientas calles de San Pedrito. A Lupe le gustaba correr también por las colinas alfombradas de hierba, y en la libertad de retozar por los bosques disfrutaba la sensación de liberar las partes más profundas de su alma. Así, muy temprano aprendió Lupe a encontrar la felicidad en las cosas sencillas de la vida.

La jovialidad de Lupe era contagiosa y la gente la recuerda como una niña despreocupada que pasaba cantando por el pueblo cuando iba o volvía del colegio. Lupe exhibía un humor especial en todo lo que hacía. Muchos creían que poseía en verdad un don especial y que la talentosa jovencita estaba destinada a ser cantante o artista.

En su hogar la chiquilla era muy feliz: recibía el cariño y cuidado de su madre así como el de su tía materna Cachita, quien veía a Lupe con gran ternura. Si bien su padre Tirso era un hombre estricto, también es cierto que traía el pan a casa; y la familia vivía tan bien como podía ante los duros tiempos económicos de la época posterior a la Depresión.

Un divorcio trastorna la vida familiar.

Cuando Lupe cumplió nueve años, Tirso se había divorciado ya de Paula y había llevado a una mujer llamada Rosa a vivir con la familia. El divorció tomó a Lupe por sorpresa. El rompimiento familiar fue la primera crisis en la vida de la niña, quien era sumamente apegada a ambos padres.

Aunque Lupe, Norma y Tirso Rafael se quedaron a vivir con su padre, los niños, muy especialmente Lupe, siempre mantuvieron una relación muy estrecha con su madre, Paula. En adelante, Lupe se crió entre el hogar de su padre y Rosa, la madrastra, y la casa de su tía Cachita y su madre.

Lupe adolescente, ca.1951.

El divorcio la afectó tremendamente y Lupe comenzó a cuidar de manera muy especial a su hermano menor. En ese tiempo Lupe, la segunda en edad después de su hermana Norma, volcó su afecto sobre su hermanito. Cantaba y bailaba con el pequeño Tirso y atendía todas sus necesidades, anudando un estrecho lazo que perduró a lo largo de sus vidas.

La vida con Tirso y Rosa era bastante diferente del trato que Lupe recibía en casa de su madre.

Rosa, a diferencia de la tía Cachita, no era cariñosa con la niña. Por el contrario, era extremadamente severa y a todas horas la emprendía contra Lupe.

Le disgustaban en especial las aptitudes musicales que la niña exhibió desde una edad temprana y no perdía ocasión para desalentarla. Además, a Rosa la contrariaba que Lupe fuera la única mulata entre los hijos de Tirso Yolí[6].

¿Cuándo has visto una negra cantando flamenco?[7], solía decir para burlarse de ella. Lupe se sintió siempre amenazada por la madrastra, pero por suerte contaba en la vida con su madre y su tía. Ellas le recordaban constantemente a la muchacha que su vida tenía un propósito.

---

6   Tomado del testimonio de La Lupe, 1989.

7   Alude al hecho de que de niña La Lupe imitaba a Lola Flores, una popular cantante de flamenco.

Apoyaban su anhelo de volverse cantante y, lo que es más importante, se cercioraban de que Lupe tomara por el sendero espiritual.

En la infancia, como es tradición en casi todos los países del Caribe, Lupe fue iniciada en la fe católica. Asistía a la iglesia con regularidad e hizo de niña la Primera Comunión. Lupe también había conocido el *espiritismo*, un conjunto de creencias basado en la idea de que es posible entrar en contacto con seres espirituales en un plano etéreo y que esos seres pueden manifestarse en el plano material de la existencia[8].

Además del catolicismo, su madre Paula y su tía Cachita practicaban el *espiritismo*; y Lupe estuvo cerca de muchas de sus prácticas y ritos.

Lupe es objeto de la discriminación racial

Cuando tenía unos doce años, Lupe ingresó al coro de la iglesia local. Su enorme talento para el canto era ampliamente conocido en el pueblo y muchos abrigaban la ilusión de oír cantar a la muchacha. Ella estaba dichosa: pensaba que por fin tendría la oportunidad de cantar ante un público y mostrarles a todos, en especial a su madrastra, sus dotes para el canto.

La dicha duró poco. Un sacerdote que observaba los ensayos del coro vio algo fuera de lo común en la manera de cantar y los gestos insólitos que Lupe manifestaba a tan temprana edad. Aun en su infancia la niña mostraba una rara sensualidad, lo que abrumó al sacerdote, que no podía admitir semejante característica a tan tierna edad. El religioso creyó ver algo diabólico en los ademanes de la jovencita. De inmediato el líder religioso solicitó la expulsión de Lupe del coro, lo cual se hizo sin demoras a pesar de las fuertes protestas de su director.

---

8   El espiritismo se apoya en las enseñanzas de Alan Kardec.

La experiencia entristeció a la joven, incapaz de entender el razonamiento del sacerdote. Sin embargo, el incidente no frenó los empeños de Lupe. Ella siguió cantando y soñando con el día en que sería famosa, pero las palabras de su madrastra: ¿Cuándo has visto una negra cantando flamenco?, resonaban en el fondo de su mente, y empezó a preguntarse seriamente si el rechazo que había sufrido tan temprano en la vida sería resultado del color de su piel.

Todos los años durante el mes de septiembre, Lupe acostumbraba acompañar a la tía Cachita en su visita anual al templo dedicado a la Virgen de la Caridad del Cobre, santa patrona de Cuba. El viaje era largo y agotador, Lupe y su tía recorrían a pie todo el trayecto hasta el santuario, que estaba al menos a un día y medio de camino.

La visita hacía parte de un peregrinaje que realizaban miles de cubanos y se había convertido en una venerable tradición. En uno de esos viajes Lupe irrumpió en llanto y le preguntó a la tía por qué unas personas rechazaban a otras por el color de la piel. Cachita la abrazó, la miró fijamente a sus grandes ojos cafés y le dijo, mientras le secaba con amor las lágrimas: Todos somos iguales ante los ojos de la Virgen, y ella será la guía de tu vida.

Lupe desarrolló una relación muy estrecha con la tía Cachita, quien pasaba todo el tiempo que podía formando a su sobrina. En el curso de estos peregrinajes Lupe y Cachita tuvieron numerosas ocasiones de discutir todos los temas posibles, y con el tiempo Cachita llegó a ser la confidente de Lupe.

Muchas situaciones de la vida de Lupe seguían siendo fuente de conflictos. El divorcio de sus padres, el trato que le daba la madrastra, su temprana percepción de la discriminación por el color de la piel, así como su espiritualidad, todas estas circunstancias generaban hondos interrogantes en la mente de Lupe.

De niña, mi tía preparaba una mezcla de harina, leche y miel que ofrendaba a los espíritus. Comíamos arroz blanco y bacalao, pero los espíritus tenían ofrendas de caramelo. Me hacía acompañarla todos los 12 de septiembre al santuario de la Virgen de la Caridad del Cobre. Allá teníamos que subir de rodillas 50 escalones, en homenaje a la santa patrona de Cuba[9].

Estas actividades, que Lupe hacía sin chistar, jugarían un papel considerable en su necesidad de seguir los anhelos del alma, y sembraban la semilla de una búsqueda que más adelante iba a definir una faceta muy marcada de su personalidad.

Otros conflictos de la vida ocupaban también la cabeza de Lupe. Tenía que aceptar el color de su piel; y aunque era morena clara, la desazón constante generada por Rosa le despertaba dudas en la mente. Sin embargo, el aspecto más fuerte de su vida, el deseo de ser cantante, se destacaba por encima de todo en su personalidad.

Desde muy pequeñita Lupe supo que quería ser cantante: desde el día en que vio a la cantante francesa Edith Piaf[10] en un programa de televisión. La Lupe quedó hipnotizada. En ese preciso instante diría años después supe que mi destino era ser cantante.

Esa misma noche Rosa se burló una vez más del deseo de Lupe de ser cantante. Más tarde, mientras lloraba sobre la almohada, Lupe le rezó a la Virgen, prometiéndole que si realizaba su anhelo por intervención divina jamás abandonaría la senda del espíritu. Mientras rezaba con fervor, la voz burlona de Rosa resonaba una y otra vez en su cabeza: ¿Cuándo has visto una negra cantando flamenco?. Esa noche se

---

9   Tomado del testimonio de La Lupe, 1989.

10   Una diva auténtica, la Piaf, nacida en Francia el 19 de diciembre de 1915, fue toda una sensación durante una trayectoria que abarcó casi 40 años. Murió en Francia el 14 de octubre de 1963.

prometió no permitir que nunca nada se cruzara en el camino de su aspiración por seguir una trayectoria musical.

Su primera oportunidad

De joven, Lupe imitaba a todas horas a las cantantes: Lola Flores[11], Celia Cruz[12] y Olga Guillot[13], a quienes escuchaba continuamente en distintos programas radiales de la época. Practicaba cotejando su voz y estilo con los de las mejores voces femeninas de ese entonces. Sabía que ella estaba a su altura y sólo necesitaba una oportunidad para probarlo.

Con el paso del tiempo su habilidad como cantante era innegable, pero seguir el sendero musical no fue tarea fácil para la joven Lupe cuando alcanzó la adolescencia. Tirso Yolí estaba perfectamente al tanto de los deseos de su hija. Sabía que Lupe quería ser cantante, pero él era un hombre de mundo y conocía cómo era el ambiente cabaretero en Cuba. Sabía que las mujeres de buena familia no trabajaban en cabarets, y no quería ni pensar en la idea de que su amada hija fuera cantante. Mucho habían discutido en la mesa familiar y su decisión siempre era irrevocable: quería que ella fuera maestra. Y ella no tenía, al parecer, otra alternativa que obedecer los deseos de su padre.

---

11   Famosa bailarina española, la Flores se distinguía por llevar en el pelo una gran flor roja y por el empleo de la insinuación en sus presentaciones.

12   Nacida en La Habana en 1925, a Cruz se la conoce como la Guarachera del Mundo y también como *la Reina* de la Música Latina. En cierta época sostuvo una fuerte rivalidad con La Lupe en Nueva York. Celia Cruz ha disfrutado de una larga y distinguida carrera. La Guarachera del Mundo falleció en Nueva York el pasado 16 de julio del año 2003 a las 4:55 de la tarde.

13   Guillot, como La Lupe, nació en Santiago de Cuba, en 1925. Ha recorrido una prolífica trayectoria que abarca más de ocho décadas, y que comenzó en 1934, cuando tenía escasos nueve años de edad. Conocida por su magistral interpretación del bolero, divide ahora su tiempo entre España y México. Adoptó la ciudadanía mexicana.

Pero una vez, los anhelos de su corazón resultaron más fuertes que el respeto que le debía al padre. Le habían contado de un concurso para principiantes que se iba a celebrar en una estación radial de Santiago. Esa noche, al acostarse, Lupe le rezó a la Virgen pidiéndole consejo.

Era una decisión crucial. Nadie en la casa se atrevía a contradecir a Tirso Yolí, y Lupe tuvo que dar el paso sin ayuda de nadie.

Lupe sabía que obraba contra los deseos de su padre, y para colmo de males el concurso caía en día de colegio, así que Lupe no tendría más opción que faltar a clases. Ella era muy buena estudiante y disfrutaba aprendiendo, pero le gustaba más cantar. Conflictos como este vivían agitándose en su mente.

Así, acostada en su cama mientras se decidía, las palabras de Rosa resonaban nuevamente en la cabeza: ¡Cuándo has visto una negra cantando flamenco! ¡Cuándo has visto una negra cantando flamenco! ¡Cuándo has visto…!

Lupe recordó su promesa a la Virgen y en ese instante resolvió ingresar al concurso.

El largo camino a Santiago

El canto mañanero de los gallos anunciaba el comienzo de un nuevo día y Lupe ya iba camino de la ciudad. Apenas había dormido durante la noche, su mente estuvo ocupada en su totalidad con las labores del siguiente día.

La caminata hasta Santiago de Cuba era muy larga, pero Lupe intuía que su destino estaba en vilo y que tenía que probarse a sí misma que era capaz de hacer lo que en sus entrañas había sentido todo el tiempo: que no sólo tenía el potencial de ser cantante, sino de ser una de las mejores del mundo.

Mientras caminaba hacia su cita con el destino, llegó a una bifurcación del camino. La joven volvió a llenarse de dudas, esta vez surgidas por el respeto que le profesaba a su padre. Lupe volvió a recordar la promesa que se había hecho mientras lloraba aquella noche: no permitir que nada se cruzara en el camino de sus sueños. Tras sopesar nuevamente los riesgos implícitos en su decisión, principalmente el de que Tirso Yolí se enterara, resolvió continuar el viaje a Santiago de Cuba.

Una vez en Santiago, Lupe empezó a recorrer las calles, averiguando con la gente hasta llegar a su destino. Allí estaban por fin la estación de radio y la oportunidad de que todos la oyeran. La chica estaba aturdida y asustada cuando entró al edificio.

En la estación se aproximó con timidez al área de la recepción. Lupe era una muchacha delgaducha y de mediana estatura y, sobre todo, estaba muy nerviosa. Preguntó a la asistente dónde debía registrarse para entrar al concurso. Ésta le señaló el camino y Lupe se anotó, como una de las tantas concursantes que atestaban la pequeña sala.

Cuando Lupe ingresó a la salita se dio cuenta de que estaba llena de concursantes acompañadas de amigas y parientes que venían a darles apoyo, y tomó asiento, sola, en un rincón. Se sentía`desamparada y muy nerviosa, y de inmediato comenzó a rezarle a la Virgen, pidiéndole fuerzas para la prueba que en minutos enfrentaría.

En espera de su turno para cantar, Lupe en sus nervios sentía que le apretaban mucho los zapatos, hasta el punto de no poder dar un paso. Tras el largo recorrido de venida, era obvio que los pies le dolieran. Buscando alivio se quitó los zapatos y sintió de inmediato alguna mejoría, pero en ese preciso instante la llamaron a presentarse. Ella corrió hasta el escenario, dejando atrás los zapatos. Ya enfrente del micrófono era muy tarde para devolverse por ellos, de modo que comenzó a cantar.

Lupe estuvo sensacional, triunfando con una bella imitación de una canción de Olga Guillot. Desde ese día cantó siempre descalza. Era supersticiosa y creía que cantar descalza era de buen agüero. Más adelante, el no llevar zapatos le recordaba su origen humilde, rasgo que siempre la distinguió, ya que ella nunca perdió ni la modestia ni la humildad.

De regreso a casa con el premio que había ganado con su actuación, mucha gente que había escuchado el certamen se detuvo a felicitarla. Mientras aceptaba los cumplidos, Lupe no dejaba de pensar en lo que iba a pasar si su madrastra, al igual que sus vecinos, había escuchado el programa.

Al llegar a casa de su padre sus temores se habían convertido en realidad. Al acercarse lentamente vio a Rosa esperándola en el balcón de su casa. Lupe escondió el trofeo en el tronco de un árbol y no tardó en oír: Espera a que tu padre venga y sepa que estuviste cantando en Santiago en vez de ir al colegio: te va a matar a golpes[14].

Cuando Tirso Yolí regresó del trabajo y Rosa le contó la historia, reaccionó de modo inesperado. Tal parece que sus amigos también habían escuchado a Lupe en la radio y ya habían felicitado a Tirso por la actuación de su hija. El padre estaba a todas luces muy orgulloso del éxito de Lupe, y al regresar a casa, para sorpresa tanto de Rosa como de Lupe, dijo: Lupe, la próxima vez que quieras ir a cantar a la ciudad házmelo saber, que yo mismo te llevo[15].

Ese fue uno de los momentos más jubilosos de la adolescencia de Lupe. Estaba por supuesto muy feliz de ganar el concurso, pero más que nada la llenaba de orgullo la inesperada aceptación de su querido padre.

14 Tomado del testimonio de La Lupe.

15 Testimonio de Lupe Yolí, 1989.

Lupe se muda a La Habana

En 1955 Lupe, que acababa de cumplir 19 años, se trasladó a La Habana con la familia para adelantar sus estudios, y su padre, que estaba padeciendo de los nervios, también buscaba mejorar su tratamiento médico. No obstante, la damita abrigaba otras intenciones.

Tirso Yolí tenía planes para la hija. Él creía firmemente en la educación y quería que Lupe fuera maestra. Deseaba para su hija las oportunidades que a él no se le habían ofrecido.

Lupe, por su parte, respetaba mucho al padre y sólo quería complacerlo. Pero también era consciente de lo que su propia alma deseaba. El fuego inextinguible de la música ardía en su corazón y nada se cruzaría en su camino por alcanzar ese objetivo.

Orlando Quiroga, un periodista de la época, describe así a Lupe: Era una mulata de piel clara, muy atractiva. Tenía unos senos enormes y facciones angulosas de tipo clásico, junto con unos bellos ojos almendrados y dentadura de niña. Llevaba siempre su pelo negro azabache en una cola de caballo y caminaba con aires de cabaretera[16] .

Como no podía cantar profesionalmente, Lupe lo hacía en clase, en la iglesia o simplemente en sus briosos paseos por las calles de La Habana, a la espera del día en que iba a poder cantar y disfrutar del aplauso de sus rendidos admiradores. Ese era su sueño.

---

16   Tomado de un artículo sobre La Lupe en la revista *Salsa Cubana*, 1998.

Un diploma deja libre a Lupe para perseguir su sueño

En 1958 Lupe Victoria Yolí Raymond se graduó de maestra en la *Escuela Normal de La Habana,* y presentó con orgullo el diploma a su padre. Ya te di gusto le dijo. Ahora voy a dármelo yo. Me llegó la hora de seguir la carrera de cantante.

La respuesta de Tirso Yolí fue rápida y al grano: Cuando te cases podrás entrar y salir de la casa a tu antojo. Cuando tengas esposo podrás seguir la carrera de cantante.

Lupe insistió. Esta vez le recordó al padre sus tiempos de jugador de béisbol y sus sueños truncados. Le recordó cuántas veces se había preguntado qué hubiera sido de él de no haber sufrido esa lesión que lo inhabilitó profesionalmente.

Tirso reflexionó sobre el argumento de la hija y terminó por darle la bendición, aunque todo dependía de que Lupe encontrara un compañero en quien Tirso pudiera confiar.

La respuesta del padre dejó a Lupe más resuelta aún, y al poco tiempo encontró a un músico llamado Eulogio Yoyo Reyes Mesías[17], que desde el principio quedó cautivado por el inmenso talento que Lupe desplegó en una audiencia con él. Mesías venía buscando cantantes para un trío que quería formar y pensó que Lupe sería perfecta. En 1958 Lupe contrajo matrimonio con Yoyo, quien con ella y otra cantante conocida como Nancy conformó el trío *Los Tropicubas*. La carrera de Lupe Yolí había comenzado.

---

17   Mesías mantuvo un acto cabaretero en Cuba por un tiempo hasta que fue arrestado por posesión de mariguana, lo cual terminó con su carrera artística en Cuba. Con el paso de los años viajó a los Estados Unidos estableciéndose en Jersey City, New Jersey, donde falleció en el 2001. En los Estados Unidos trabajó como músico sin tener mucho éxito. Su mayor enlace con la fama fue el de ser el primer esposo de La Lupe.

Los Tropicubas comenzaron a presentarse con regularidad en el club El Roco, donde el estilo poco ortodoxo de Lupe captaba una atención creciente. El trío empezó a ganarse unos pesos, que en su mayoría iban a parar al bolsillo de Yoyo Mesías. Sin embargo, Lupe era muy feliz, pues por primera vez cantaba en escena y, lo más importante, su voz probaba ser del agrado del público.

Pronto el grupo empezó a tener problemas con la actuación de Lupe. El reconocimiento que ganaba del público resultaba un tanto excesivo ante los ojos de sus compañeros, y su estilo y dotes para el canto no tardaron en opacar a Yoyo y Nancy, quienes empezaron a quejarse y a pedirle que moderara sus presentaciones[18].

En un principio Mesías trató de limitar a la cantante prohibiéndole interpretar solos. Tanto Yoyo como Nancy alegaban que la presentación de Lupe pecaba de extravagante, al menos para los estándares del grupo. Se dieron cuenta de que la energía y el estilo de Lupe Yolí los eclipsaban fácilmente. Llegados a este punto se unieron contra ella, afirmando que era desordenada e incapaz de ceñirse a la disciplina del trío.

La realidad era todo lo contrario: para Los Tropicubas resultaba imposible sostenerse a la altura del talento de Lupe, en un grupo compuesto por un percusionista (su esposo Mesías) y dos cantantes femeninas. El estilo del trío se basaba en temas jocosos, bachateros y de doble sentido como Los Hermanos Pinzones, por ejemplo, y estos deslucían la indudable destreza de Lupe.

---

18 Tradicionalmente se ha escrito que a la rutina de Lupe le faltaba disciplina y que se enredó pronto en líos amorosos con el director del grupo. La verdad era que Lupe se había casado con Yoyo Mesías y que su presentación excedía las limitaciones de un trío con dos cantantes femeninas y un percusionista que llevaba el ritmo, en este caso, el director del trío y marido de Lupe, Yoyo Mesías.

La actuación de Lupe con Los Tropicubas equivalía a sujetarle las riendas a un purasangre en plena carrera. Ella necesitaba libertad de expresión musical y la oportunidad estaba pronta a cristalizarse.

Una noche Lupe pescó a su esposo Yoyo enamorando a Nancy en el camerino. La situación forzó la salida de Lupe de Los Tropicubas, donde fue substituida por la cantante Argentina del Pilar, más recordada por el mote de Tina, quien luego disfrutó de algún éxito como solista.

Al abandonar a Los Tropicubas, Lupe Yolí encontró su destino. La situación aceleró el ascenso de la cantante, que al poco tiempo debutó como solista.

Tiempo después Yoyo Mesías fue arrestado por posesión de mariguana y, por esto, fue ingresado en la cárcel. El uso de cualquier tipo de drogas por los músicos cubanos era fuertemente censurado por el gobierno revolucionario y la carrera de Mesías se vio inmediatamente truncada. Su arresto también afectó a La Lupe ya que algunas personas en el público comenzaron a buscar explicaciones a sus alocadas presentaciones en el uso de drogas, desatando una serie de rumores, que, aunque infundados, fueron el comienzo de la creencia de que La Lupe era una drogadicta. Rumores que se fueron haciendo cada vez más de la artista fueron tomando forma.

Lupe (derecha) tuvo su primera oportunidad con Los Tropicubas. Yoyo Mesías, su primer marido, aparece en el medio, y Nancy la acompañan en la foto.

Capítulo II

Lupe alcanza el estrellato

La razón no ha venido a repetir
el universo, sino a completarlo.
George Santayana, 1863-1952

En La Red, Lupe inaugura una nueva era
(la Nueva Ola)

Corrían los primeros meses de 1959 y Cuba experimentaba una tremenda agitación política. Las noticias estaban plagadas de despachos sobre la guerra que se libraba en la Sierra Maestra, en donde tres líderes revolucionarios, un doctor de origen argentino llamado Ernesto Che Guevara y dos cubanos, Camilo Cienfuegos y el abogado Fidel Castro, combatían y derrotaban las tropas del dictador cubano Fulgencio Batista,

A pesar de la guerra en La Habana, la vida nocturna continuaba más o menos igual.

La Red era uno de esos cabarets a donde turistas y cubanos por igual se iban de juerga sin hacer caso a los combates que empezaban a aproximarse peligrosamente a La Habana.

No era un lugar presuntuoso, era más bien un club pintoresco, decorado con atmósferas marinas. Había redes de pesca por todas partes, que daban la sensación de estar en un buque pesquero.

Situado en el cruce de la avenida L y 19, en un barrio en *El Vedado*, el club congregaba una interesante amalgama de la vida nocturna cubana.

Actores, músicos, hombres de negocios, políticos, místicos y hasta turistas encontraban en *La Red* un lugar excitante donde cualquier cosa podía pasar a medida que la noche se alargaba, a menudo hasta muy entradas horas en la madrugada.

Aunque pequeño, el club era muy popular, considerado en esos días como la meca del *cabaretismo cubano*[19]. Por el lugar desfilaban noche tras noche prometedores artistas cubanos y las más eminentes personalidades. Era uno de esos sitios candentes, un lugar para ver y ser visto por todos.

En una noche cualquiera no era sorprendente ver entre el público al escritor Ernest Hemingway o al pintor Pablo Picasso, así como a muchas de las figuras del crimen organizado norteamericano que en aquel tiempo frecuentaban a Cuba[20].

En *La Red*, Lupe vio crecer su fama; y rápidamente se empezó a hablar de ella por todos los rincones de La Habana.

Allá comenzó a hacer lo suyo y se convirtió en un éxito instantáneo, creando un público adicto a ella y otro que no la soportaba, especialmente en sus presentaciones en la televisión. Durante un año y ocho meses triunfó en *La Red* y después en *Le Mans*. La Lupe fue el reflejo de su época[21].

El musicólogo cubano Helio Orovio describe así sus presentaciones:

Había un desborde de pasión en esa mujer tentadora, dueña de una voz cuyo registro estaba por encima del de la mayoría de las cantantes de la época; una voz con ritmo, dinamismo y explosión. Ella tenía la habilidad de mezclar el canto, las letras y el sentido del humor con su gracia antillana, ágil y sensual[22].

---

19 Los actos de cabaret formaban parte integral de la vida nocturna cubana en una época en que Cuba era el equivalente de lo que hoy es Las Vegas.

20 La vida nocturna cubana de finales de los años cincuenta ha sido comparada con las noches de Las Vegas hoy. La Habana era el lugar de vacaciones preferido de muchos actores, artistas y hasta gángsteres.

21 Cristóbal Díaz Ayala, *Música cubana, del Areyto a la nueva trova*, tercera edición, Ediciones Universal, 1993, págs. 274-275.

22 Helio Orovio es un musicólogo cubano de renombre. Editor del Diccionario de la música cubana, fue citado en la revista *Salsa* en 1989.

El número de Lupe no tardó en convertirse en parte integral de la vida nocturna cubana, y la voz corrió rápidamente por toda la Isla.

Sus actuaciones llegaron a ser vistas como una fuerza liberadora para algunos cubanos que sentían reprimidas sus aptitudes expresivas por las incertidumbres de las condiciones socio-políticas del momento[23], y ver las travesuras de Lupe en las tablas les proporcionaba una oportunidad de dejarse ir, gritar y librarse de todo el estrés que la guerra y la revolución habían sembrado en ellos.

Sucedía, tal vez, que casi todos en Cuba querían gritar, patalear y arrojar cosas, y veían en las presentaciones de Lupe la capacidad de expresar esa parte fundamental de sus vidas como la libertad de moverse y hablar como acostumbraban, y que aquella libertad, poco a poco, les iba siendo arrebatada por los nuevos procesos políticos que se estaban poniendo de manifiesto.

El nacimiento de La Lupe

Cierta noche, un grupo de actores entre los que se encontraban Carlos Rafart, Antonia Rey[24] y su marido, el director Andrés Castro, acudieron a *La Red* después de una función teatral.

Antonia Rey la recuerda: Terminamos de trabajar esa noche y decidimos ir a *La Red* a relajarnos. Habíamos oído hablar de Lupe Yolí y esa noche ella hizo una presentación increíble. Quedamos tan impresionados con su presentación que se lo comentamos a nuestro amigo, el periodista René Jordán.

---

23 La revolución cubana estaba en plena marcha y la vida nocturna era considerada antirrevolucionaria.

24 Antonia era actriz de teatro en Cuba. En Estados Unidos participó en muchas obras de Broadway y películas de Hollywood, y una cantidad de programas de televisión tales como All in the Family y Who is the Boss?, donde hacía el papel de la tía Micelli.

A la noche siguiente
Jordán y Rafael Casalín,
un periodista de farándu-
la del periódico *El País*[25]
fueron a ver el espectáculo. Lupe estuvo magnífica
otra vez. Los periodistas
quedaron tan impresio-
nados, que Casalín escri-
bió un artículo de primera
página en el que describía
la extraordinaria actuación

*La Lupe, aquí en La Red,
conquistó La Habana.*

de Lupe y la llamaba La Lupe por primera vez. Desde ese día en adelante Lupe Yolí se convirtió en La Lupe[26].

Su designación como La Lupe dio a la joven cantante el primer sa-
borcillo a realeza.

El artículo *La* o *El* antes del nombre tiene un inmenso peso en la
lengua española y la cultura latina. El colocar el *La* o el *El* antes de tu
nombre, es prueba de tu singularidad, expresa que eres único en tu género. Ella ahora era La Lupe, no importa cuantas Lupes fueran a venir
después de ella. El apelativo de La Lupe la convertía en la única, la mejor, por siempre.

Una serie ininterrumpida de presentaciones, así como dos discos
exitosos: *La Lupe: con el diablo en el cuerpo* (1961) y *La Lupe is Back*
(1962) la convirtieron en una de las artistas más populares de su generación y definitivamente en la más controvertida, dentro de un grupo

---

25 Un importante diario de la cuba pre-castrista.

26 Entrevista a Antonia Rey, junio 15 de 2002. Rey conoció a Lupe desde Cuba y se hizo amiga suya. Aún vive en Manhattan. Es la madrina de René Camaño, el hijo de Lupe.

que incluía luminarias de la talla de las cantantes cubanas Olga Guillot, Elena Burke, Omara Portuondo, Celia Cruz y la puertorriqueña
Myrta Silva, entre otras.

En su primera grabación, *Con el diablo en el cuerpo*, La Lupe sentó el estilo que iba a distinguirla a lo largo de una carrera única. Aunque apenas tenía 23 años, la sensualidad de Lupe se convertiría en el distintivo de las futuras presentaciones que rompería innumerables récords.

En este disco La Lupe canta por primera vez *Fiebre*, un tema que con el tiempo llegaría a ser parte esencial de su repertorio. *Fiebre* fue la canción que simbolizó siempre su pasión y su estilo inimitable.

En su debut como artista disquera la joven Lupe estableció rápidamente un estilo que fue imitado por muchas jóvenes cantantes de la
época. Hay notables parecidos entre el estilo que Lupe desarrolló en
sus canciones en Cuba y el del magno movimiento musical que se generó unos años después en Puerto Rico, México y Venezuela, y que fue
conocido como *La Nueva Ola*.

Esta grabación inaugural merece ser recordada también por un ca-
lipso escrito por el compositor cubano Julio Gutiérrez, *Con el diablo en
el cuerpo*.

Un título muy sugestivo, que es también el nombre de la primera
canción del disco y que sirvió también para describir el contenido de
las presentaciones de La Lupe.

Ese título daría sin duda sentido a su carrera, pues más tarde se dijo que Lupe llevó siempre un espíritu en el cuerpo.

Un artículo que apareció en la popular revista Bohemia, La Lupe es un caso psicosomático que divide en dos a Cuba, describió a la perfección cómo el cubano veía las presentaciones de la volátil cantante que comenzaba, muy rápidamente, a figurar en la farándula habanera.

La Nueva Ola

Lupe Yolí fue probablemente la primera artista de peso en impulsar el movimiento juvenil conocido como *La Nueva Ola*; un movimiento que de la noche a la mañana llevó al estrellato a grupos como *Los Zafiros*[27].

Durante la primera parte de la década de los sesenta la música comenzó a desviarse de lo tradicional. Hasta los tiempos de La Lupe, el bolero, la guaracha, la rumba, la charanga, el mambo, el danzón, el chachachá, el changüí o el guaguancó eran los medios de expresión para un artista en Cuba. Ahora se iniciaba una nueva época y el influjo del rock n roll en el mercado musical tradicional de Cuba había empezado a hacerse sentir.

Una de las mayores contribuciones de La Lupe a la música latina, y que ha sido particularmente pasada por alto, fue la manera como su estilo abrió, sin lugar a dudas, las puertas para que otros latinos, en Cuba y otras partes, pudieran seguir una nueva línea.

Lupe puso de moda cantar en español las canciones de los intérpretes y compositores norteamericanos como Paul Anka (*Crazy Love, So Its Goodbye*), Henderson (*I Miss You So*) y Davenport y Cooley (*Fever*).

---

27 Agrupación muy popular que fue la sensación a finales de los años cincuenta y comienzos de los sesenta, Los Zafiros hicieron giras por todo el mundo. De modo misterioso, casi todos los integrantes de Los Zafiros murieron muy jóvenes.

Esta moda fue desarrollada plenamente en Puerto Rico por un joven productor llamado Alfred D. Herger[28], y se prolongó hasta mediados de la década de los sesenta bajo el apelativo comercial de la Nueva Ola[29].

La Nueva Ola arrastró con la juventud del Caribe, creando una constelación de nuevos artistas que, aún hoy, continúan vigentes. Los cantantes puertorriqueños Chucho Avellanet[30], Lucecita Benítez[31] y Danny Rivera[32], así como la cantante cubana Lissette Álvarez[33] (hija de la pareja de vodevil cubana conocida como Olga y Tony) son productos directos de esa época que todavía hoy se desempeñan exitosamente.

---

28 Herger fue un conocido productor y empresario así como una afamada personalidad de la televisión de Puerto Rico en los años sesenta. Creó el concepto de la Nueva Ola y dirigió las carreras de los artistas más eminentes de la época. Actualmente es doctor en psicología, Herger ha publicado algunos libros de auto-ayuda muy populares.

29 Época de la música latina que abarcó la primera parte de la década de los sesenta, abrió camino con la traducción al español de los éxitos del rock n roll.

30 Nacido en Mayagüez, Puerto Rico, el 13 de agosto de 1941, Chucho, cuyo nombre de pila es Armando Hipólito Avellanet González, se lanzó a los 15 años. Una de las voces más melodiosas de su tiempo, aún sigue presentando El Show de Chucho en su nativo Puerto Rico.

31 Lucecita (Luz Ester Benítez Rosado) nació en Bayamón el 22 de julio de 1942. Fue una adolescente muy querida y ha conseguido conservar a sus fieles seguidores, lo que ha hecho de ella una de las preferidas de los latinos. Sus ideas políticas radicales le han negado la difusión que su inmenso talento merecía.

32 Danny Rivera es otro de los grandes cantantes de la rica historia de Puerto Rico. Defensor de la independencia de Puerto Rico, a principios de su carrera vio impedido su desarrollo artístico debido a su posición política. Es sumamente respetado, es considerado un ídolo en su nativo Puerto Rico, como también por la colonia latina en Estados Unidos, donde se le rinde verdadera adoración. Activo aún, sus conciertos son muy taquilleros. En el presente comulga con la filosofía budista y trabaja fuertemente en programas para mejorar el ambiente y ayudar a los ancianos.

33 Lissette Álvarez ha sido estrella por mucho tiempo. Nacida en Lima, Perú, pero criada en La Habana y Puerto Rico. Hoy vive en Miami, se casó joven con Chucho Avellanet en una pomposa ceremonia presenciada prácticamente por todo Puerto Rico. Vigente aún, lleva una vida tranquila en Miami con su marido actual, el cantante y compositor Willy Chirino. Dedica mucho de su tiempo al estudio de la metafísica.

Otros, como Charlie Robles, Cclinés y Julio Ángel, de Puerto Rico, tuvieron cierto renombre, mientras que Al Zeppy, de Venezuela, y los puertorriqueños Tammy y Papo Román, aunque tenían mucho talento, fueron relegados a un segundo plano. No obstante, Tammy, bajo el nombre de Tamara Escribano, continuó batallando en el ámbito operático de Nueva York.

El surgimiento de estos artistas de la época se puede rastrear directamente hasta las semillas plantadas por Lupe Yolí en su Cuba natal hacia finales de los años cincuenta. Ellos fueron a su vez los precursores de una serie de artistas juveniles que sirvieron de base para la creación de grupos musicales que van desde Menudo y Los Chicos hasta artistas actuales como Ricky Martin y Chayanne, entre otros.

Lupe entra en conflicto con la revolución castrista

El 31 de diciembre de 1958 las fuerzas revolucionarias bajo el mando de Fidel Castro hicieron su entrada triunfal en La Habana, derrocando al gobierno de Fulgencio Batista[34].

Se inauguraba una nueva era en Cuba, nuevos tiempos que habrían de afectar la vida de todos los cubanos de una manera que quizás no se vivía desde la Guerra de Independencia con España unos cien años antes.

La doctrina del Hombre Nuevo[35] de Castro chocaba directamente

---

34 Fulgencio Batista era presidente de Cuba antes de la revolución Castrista. Su gobierno era juzgado corrupto por algunos, y por otros una ayuda celestial para una vida nocturna inigualable. En esos días Cuba era considerada un paraíso de la mafia y se dice que mucho dinero sucio financiaba negocios de La Habana.

35 La filosofía castrista se basaba en la creación de un Hombre Nuevo sin los pecados de la anterior sociedad, que de alguna manera iba a surgir de la Cuba revolucionaria.

con la vida nocturna de Cuba y sus cabarets, ahora tildada de vulgar e indisciplinada por el nuevo gobierno. Este era un problema insalvable para la vida nocturna, puesto que el concepto de la disciplina era uno de los principios fundamentales de la nueva doctrina gubernamental. En Cuba nada era más representativo del cabaretismo que La Lupe. La popularidad de la cantante pronto significó que la afamada diva y el joven dictador enfilaran rumbo a una interesante colisión.

La Lupe disfrutaba de una popularidad tan enorme con las masas cubanas, que empezó a ser considerada motivo de preocupación para el nuevo gobierno.

La popularidad de Lupe Yolí alcanzó tales proporciones, que fue vista como una amenaza para la respectiva aclamación popular a favor de Fidel Castro por parte de la gente del común de Cuba. Era una situación insostenible para la revolución y Castro tomó personalmente cartas en el asunto[36].

En 1960 la RCA Víctor, una de las compañías disqueras más grandes de la época, otorgó a un grupo de artistas cubanos *El Disco de Oro de la Popularidad*. Los receptores del trofeo fueron el incomparable Benny Moré[37], Luis García[38], Pacho Alonso[39] y La Lupe.

---

36 Revista Salsa Cubana, 1989.

37 Benny Moré, apodado el Bárbaro del Ritmo es el músico más popular de la historia de la música popular cubana y, con la posible excepción del boricua Ismael Rivera, acaso el mejor *sonero* de la historia de la música latina.

38 Luis García, nacido en La Habana en 1936, cultivó como cantante el estilo conocido como sentimiento. Muy popular en la década de los sesenta, García se trasladó posteriormente a España y Estados Unidos, donde continuó su carrera. Grabó más de 20 producciones a lo largo de su vida artística.

39 Se llamaba Pascasio Alonso Fajardo y al igual que La Lupe había nacido en Santiago de Cuba, el 22 de agosto de 1928. Cantante sumamente popular, Pacho fue el fundador de Los Bocucos, una agrupación muy admirada con la que viajó ampliamente.

Lupe durante su primera presentación en la televisión. Su pianista Homero está a su derecha, en el bajo aparece Salvador Vivar y atrás, en la batería, Guillermo Barreto. Como era su distintivo, en el piso se pueden ver los zapatos de Lupe.

El galardón refrendaba la posición destacada de La Lupe dentro del gremio artístico cubano y con el público, pero al mismo tiempo enfureció al régimen revolucionario, que veía en el estilo de La Lupe una aparente falta de disciplina y por consiguiente una amenaza contra la doctrina del partido.

Corría la leyenda de que La Lupe se había quitado los zapatos y golpeado con ellos repetidamente en la cabeza de su pobre pianista Homero, como en una especie de trance. Se decía también que se mordía los pechos, al tiempo que pegaba contra las paredes y soltaba gemidos semejantes a los de un placentero orgasmo[40].

Esta era una verdad a medias. Homero era un hombrecito flacuchento que de ninguna forma habría soportado el feroz ataque de los tacones de aguja de La Lupe, pero la historia se prestaba para un buen artículo de prensa y ayudaba además a vender sus presentaciones. Verdad o mito, lo cierto es que el gobierno revolucionario de Castro no miraba con buenos ojos ni las travesuras de La Lupe ni su creciente popularidad.

La amiga de toda la vida de La Lupe, la actriz Antonia Rey, rememora: Su espectáculo era espléndido. Era tan innovador que la gente se excedía describiéndolo. Pero Lupe era una mujer muy recatada y respetable y era toda una dama. Dicen que imprecaba contra el público. No es cierto, pero su actuación era *risqué*, era sensual y no se parecía a nada de lo que el público cubano había visto antes. Esas son algunas de las razones de que el mito que rodea a Lupe difiera tanto de la verdad. Ella quería complacer a su público y no le importaba qué decía la prensa con tal que su público estuviera satisfecho. Siempre pensó que el público era lo primero, esa era su prioridad. Mucho de lo que se decía de ella era una completa exageración[41].

En 1961, cuando La Lupe se presentaba en un estudio de televisión en La Habana, Fidel Castro envió un grupo de emisarios a hablar

---

40   Helio Orovio en la revista Salsa Cubana, 1989.

41   Entrevista a Antonia Rey, junio de 2002.

con ella. Su mensaje era claro y rotundo: El *lupismo* no hará escuela en la nueva Cuba, dijeron[42]. A continuación le informaron que debía marcharse.

En ese entonces Lupe ganaba 28 pesos a la semana[43], pero eso era una fortuna para una mujer venida de la pobreza; y estaba más que contenta con su flamante popularidad y renombre.

Acababa de lanzar su segundo disco, *La Lupe is Back*. Esta grabación mantuvo a la joven cantante en una posición de privilegio con el público.

Si bien las canciones conservaban el sabor juvenil de la época, Lupe mostraba su versatilidad incluyendo un joropo venezolano, así como un clásico: *María Bonita*, y hasta un ritmo afro con *Don Chimbilico*, una canción graciosa que pintaba la situación cubana de esos días.

Lupe no derivó mayor placer de este álbum debido a las presiones que el gobierno ejercía sobre ella. Sabía que tarde o temprano tendría que salir de Cuba, ya que ella no pensaba cambiar. Y tuvo que tomar la decisión mucho más pronto de lo que esperaba.

Después de pensarlo mucho, Lupe se convenció de que en Cuba nunca podría alcanzar sus metas artísticas. Como muchas otras artistas contemporáneas, su amiga la actriz Antonia Rey también supo que sus sueños se verían truncados bajo el nuevo régimen. Un día las dos, Lupe y Antonia, fueron a la oficina de Inmigración y solicitaron sendas visas de viaje, documentos requeridos para salir de Cuba.

Estábamos allí y mi madre nos había acompañado. Mientras esperábamos nos moríamos de los nervios. Yo no hacía sino tocarme el arete izquierdo y Lupe tenía un collar de cuentas de plástico, uno de esos

---

42 Tomado del testimonio de La Lupe, 1989.

43 Pesos cubanos. No era mucho dinero, pero bastaba para vivir en esos días, diría después Lupe en su testimonio.

a los que se les pueden agregar o quitar piezas. La mañana avanzaba y yo me tocaba cada vez más mientras Lupe no hacía sino ponerle y quitarle cuentas al collar. De repente, mi madre nos gritó: ¡Dejen ya, ustedes dos, Me van a volver loca!.

La verdad es que Lupe sabía que no podía quedarse más en Cuba. La oportunidad de partir se le presentó cuando un empresario italiano le ofreció un contrato para ir a México a realizar una serie de presentaciones. El contrato le ofrecía súbitamente a la cantante un recurso para irse de La Habana, recurso del que prontamente echó mano. Poco sabía entonces que, como tantos otros exiliados cubanos que la siguieron, jamás iba a volver.

Hasta la fecha nadie sabe de dicho contrato, ni tampoco del empresario. Se cree que La Lupe se inventó la historia, junto con el contrato, para escapar de un ambiente que amenazaba con anular su carrera artística y su manera de expresarse.

También se dice que el gobierno, a diferencia del trato dado a otras personas que querían salir de Cuba, abrió las puertas y permitió la veloz partida de Lupe.

Al contrario de tantos que sufrieron dificultades extremas tratando de salir de Cuba para Estados Unidos, a La Lupe le permitieron irse sin mayores trámites en enero de 1962.

Lupe fue la segunda cantante cubana en partir. Lo hizo tras los pasos de una de sus ídolos, Olga Guillot, y con eso ayudó a que una tercera, su amiga de infancia, Blanca Rosa Gil[44], siguiera el ejemplo de exiliarse.

---

44 Compañera de bachillerato de Lupe en La Habana, Blanca Rosa Gil nació en Perico en 1937. Gran intérprete del bolero, se mudó a México en 1962 y luego se instaló en Puerto Rico, donde aún vive. Más adelante en la vida se hizo pastora pentecostal.

Capítulo III

Quiero vivir en América

Pónganse el cinturón de seguridad:
esta noche va a estar muy movida
Bette Davis, 1950

Era una mañana cálida y sofocante de 1962 y Lupe conducía de Miami a la ciudad de Nueva York.

Unas semanas antes había tomado una decisión que iba a llevarla a la ciudad de los rascacielos, centro musical del mundo, donde proseguiría su carrera artística.

Una hermosa mujer y un enorme talento: La Lupe en 1960.

Con apenas veinticinco años de edad, la hermosa mulata[45] estaba a sólo pocos meses de haber sido una sensación instantánea en su Cuba natal. Sus excentricidades en escena la habían convertido en un prodigio, despertando un furor que se tomó la isla por sorpresa.

Dejando atrás el gobierno castrista, La Lupe había llegado primero a México, donde permaneció por poco tiempo. Allá obtuvo la visa que le permitió entrar a los Estados Unidos.

Ya en Norteamérica, Lupe pasó unos meses en Miami, donde se presentó en diversos cabarets por unos cuantos dólares la noche. La joven y ambiciosa cantante se las arregló para ahorrar algún dinero, lo suficiente para comprarse un auto usado por 100 dólares.

---

45 En Cuba en particular, y en el Caribe en general, un mulato es una persona de piel morena clara y ancestro de africanos.

Con unos cuantos billetes en el bolso para el camino, emprendió el viaje hacia la fama y la fortuna: hacia la ciudad de Nueva York.

Una nueva vida en la ciudad

Los años sesenta fueron muy especiales, los días de *West Side Story*[46] . En esa época los latinos empezaron a hacerse sentir en la música, el deporte, los negocios, las artes y la política. Fue un tiempo en el que los latinos, a pesar del racismo que todavía imperaba, comenzaron a reclamar lo suyo y dejar huella en la gran ciudad.

Sólo podemos imaginar lo que pasaba por la cabeza de esta joven que había dejado a su familia en Cuba, que no hablaba inglés y que prácticamente carecía de amigos en Norteamérica, cuando se decidió a emprender el largo viaje hasta Nueva York en compañía de su amante de ese entonces, un apuesto joven cubano llamado Pedro Pacheco.

En su cabeza y en su corazón seguramente se agitaba sin cesar todo un mar de emociones que iban del entusiasmo al miedo. Como muchos exiliados cubanos, sabía que esta era su oportunidad y que no podía fracasar. No había manera de regresar a Cuba. Tenía que lograrlo.

Lupe tenía la mira puesta en un sueño: el sueño americano (the american dream)[47], y pronto iba a reclamar su lugar en el ámbito cabaretero de Nueva York.

---

46 West Side Story fue tanto una película como un musical muy popular, protagonizado por las actrices portorriqueñas Rita Moreno y Chita Rivera en 1960. En ambas obras se representaba la vida de los barrios latinos en la década de los cincuenta en Nueva York. Moreno ganó un Oscar por su actuación.

47 La promesa de la Tierra de las Oportunidades.

Había oído hablar del éxito que algunos colegas cubanos de la música habían tenido en la ciudad: Machito y Graciela[48], Mario Bauzá[49], Chano Pozo[50], Miguelito Valdez[51], todos ellos habían conseguido el reconocimiento e incluso la fortuna en Nueva York. Lupe estaba segura de alcanzar un destino similar, pero hay que decir que ignoraba a qué precio.

En cuanto arribó, Lupe se puso en contacto con su amiga, la actriz Antonia Rey.

Ésta le ayudó a conseguir una pequeña habitación para ella y Pedro. Ahora Lupe estaba en condiciones de buscar trabajo, así que comenzó a frecuentar los diferentes clubes latinos, buscando una oportunidad.

La vida nocturna de Nueva York era distinta en los años sesenta. En esos días la existencia de pandillas era una dura faceta de la vida neoyorquina, y matones, vendedores de drogas, chulos y pandilleros eran parte del paisaje de la Babel de Hierro.

Lupe, una jovencita muy atractiva, se topó cara a cara con esta realidad a su llegada. Ya no contaba con las protecciones del conocido

---

48 Mario Grillo, nacido en Tampa el 16 de febrero de 1921, fue creador e integrante, con su hermana Graciela, de Los Afrocubanos, una de las orquestas más populares entre 1940 y 1960.

49 Mario Bauzá fue un trompetista y arreglista de renombre. Cuñado de Mario Grillo, Bauzá, nacido en La Habana, fue uno de los arreglistas más prolíficos de la historia de la música latina. Encontró el éxito con la orquesta de Los Afrocubanos, así como con diferentes bandas de jazz del calibre de las de Noble Sissle, Chick Webb y Cab Calloway, entre otras.

50 Chano Pozo, percusionista, cantante y bailarín, nació en La Habana el 7 de enero de 1948. Triunfó de entrada con la orquesta de Dizzy Gillespie. Compositor prolífico, fue muerto de un disparo a la edad de 33 años en Nueva York, el 2 de diciembre de 1948.

51 Miguelito Valdez, conocido universalmente como el señor Babalú, creó la canción que Desi Arnaz, conocido por el programa *I Love Lucy*, después haría famosa. Valdés nació en La Habana en 1916 y murió en Bogotá, Colombia, en 1978. Excelente cantante y percusionista, disfrutó de la fama y el éxito en las ciudades de Nueva York y Los Ángeles.

entorno habanero: ahora iniciaba una nueva vida, en un nuevo país y en un terreno desconocido e inhospitalario.

Antonia Rey recordaba esos días: Nos afanábamos por triunfar en Nueva York. Yo iba de audición en audición en Broadway. Lupe trataba de consolidar su posición en el ambiente musical. Nuestra amistad fue siempre fuerte. Luchábamos por abrirnos paso, pero Lupe siempre estuvo segura de que iba a triunfar. Para ella, todo eso era parte de su destino[52].

Su estrella resplandece en La Barraca

Uno de los primeros clubes latinos que Lupe visitó fue La Barraca. Propiedad de cubanos, estaba situado en la calle 51 con avenida 8. El ambiente tendía a ser parecido al de los cabarets que ella conocía de La Habana. El club era muy popular entre los músicos y allí empezó Lupe a conocer la vida nocturna de Nueva York.

El famoso director de orquesta Johnny Pacheco, que entonces era apenas un muchacho, recuerda a La Lupe:

Era una mujer bonita con una personalidad especial. Su estilo era muy diferente de lo que habíamos visto antes de ella, y la verdad es que después de ella tampoco hemos visto nada que se le parezca. Era única[53].

Continúa Pacheco: Le pedí a Toño Meléndez[54] que la dejara subir al escenario con nosotros. Ella me pedía que tocara la canción *Zarandonga*

---

52 Entrevista a Antonia Rey, septiembre de 2002.

53 Entrevista al director de orquesta Johnny Pacheco, febrero de 2000.

54 Un querido propietario de clubes, Meléndez, oriundo de Cuba, era el dueño de La Barraca.

y subía al escenario a cantar con la orquesta. Nos hicimos grandes amigos. Éramos como hermanos[55].

La Lupe pronto comenzó a presentarse consistentemente en La Barraca, donde René[56], un negociante cubano bien conectado, que más tenía un aire de mafioso[57], se convirtió en su amigo y benefactor. A esas alturas Pedro, el novio que la acompañó desde Cuba, se había perdido de vista.

La Lupe se presentó en La Barraca en 1962.

La actriz Antonia Rey cuenta la historia: René le pagaba a Toño para que cerrara *La Barraca*, de manera que Lupe se presentara para él solo. Los dos se hicieron muy buenos amigos y más tarde Lupe le dio su nombre a su primer hijo, en memoria del primer amigo verdadero que tuvo en Nueva York[58].

El futuro guardaba muchas experiencias para La Lupe, y una noche cuando se presentaba en *La Barraca*, la estrella de la oportunidad volvió a encenderse para ella.

---

55 Entrevista a Johnny Pacheco, febrero de 2000.

56 Personaje de cierta notoriedad en el ambiente de los clubes de la época. Nadie recuerda su apellido. Lupe lo llamaba Rini.

57 Gángster.

58 Entrevista a la actriz Antonia Rey, junio de 2002.

Mongo y Lupe... Un buen comienzo

La Lupe se presentaba una noche en que el gran percusionista cubano Ramón Mongo Santamaría visitó el club inesperadamente.

Santamaría se había labrado la reputación de ser uno de los mejores percusionistas de Norteamérica y había alcanzado renombre en los circuitos latino y del jazz en la nación.

Mongo había oído las historias de La Lupe en boca de amigos que la habían visto actuar en Cuba, pero no se esperaba lo que vio aquella noche.

Primer disco de La Lupe en Norteamérica, 1963.

Me dedicó su presentación recordó Santamaría. Desde ese momento nos hicimos amigos. La compenetración fue instantánea y al poco tiempo ella estaba viajando con mi orquesta. Entonces grabamos su primer disco en Estados Unidos: *Mongo Introduces La Lupe*[59].

El disco, publicado en 1963 por Riverside Records, llevó el sonido fresco de La Lupe al público norteamericano. La orquesta de Mongo incluía a algunos de los mejores músicos de la época, con Marty Sheller y Alfredo Chocolate Armenteros[60] en las trompetas, Pat Patrick

---

59 Entrevista a Mongo Santamaría, febrero de 2000. Nacido en La Habana en 1927, Mongo es uno de los mejores percusionistas de la historia de la música latina. Siguiendo la trayectoria iniciada por Chano Pozo, Mongo, que en África, donde nació su padre, quiere decir líder, es uno de los verdaderos grandes en los anales de la música latina y el jazz.

60 Chocolate es considerado uno de los mejores trompetistas en el mercado latino. Primo de Beny Moré, reside actualmente en Nueva York y todavía se mantiene activo en el circuito neoyorquino.

en la flauta, Bobby Capers en el saxo, René Hernández en el piano, Víctor Venegas en el bajo y Francisco Kako Bastar en los timbales.

La producción de *Mongo Introduces La Lupe* fue excelente y una canción, *Besito pa' ti*, se convirtió en un clásico que hasta el día de hoy conserva su atractivo.

Santamaría añadió: Ella era una estrella tremenda, su sentido de la improvisación y del ritmo no tenían igual, su compenetración con el público era rara, ella era increíble. Era un poquito alocada en sus cosas, muy temperamental, pero mucho de lo que dicen de ella simplemente no es cierto. Sé que nunca consumió drogas y que nunca se mordió los senos. El público estaba tan impresionado con ella que la leyenda de La Lupe se convirtió en su acto[61].

La Lupe hizo con la orquesta de Mongo su primera presentación como figura de cartel en el Teatro Triton en El Bronx, inaugurando así su carrera en Estados Unidos. Fue la primera vez que su nombre apareció como atracción principal fuera de Cuba, un logro que se repetiría sin descanso durante la década siguiente.

La Lupe era en efecto impulsiva y temperamental. El genio le cambiaba con la rapidez del viento, y una noche cuando se presentaba con la orquesta de Mongo Santamaría en el teatro Apollo, Lupe y Mongo tuvieron una discusión que puso pronto fin a su asociación musical.

Santamaría relató la historia: Estábamos tocando en el Apollo y alguien cercano a Tito Puente, *dicen que Jimmy Frisaura*[62], se encontraba entre el público. Ella sabía que había allí personas con intenciones de sonsacarla, y oyó primero la propuesta del enviado de Tito Puente. Sé

---

61   Ibíd.

62   El subrayado es mío. Frisaura, un caballero de origen italiano, tocó trompeta, saxofón y corneta en la orquesta de Tito Puente durante más de 40 años. Hasta su retiro en 1997 estuvo a cargo de todos los asuntos relacionados con la orquesta, desde los compromisos profesionales de Tito Puente hasta el pago a los músicos. Murió en 1998.

que hablaron, pero sólo después me enteré del alcance de su conversación. Pasaron unas semanas y la orquesta tenía por delante una gira por Puerto Rico. Lupe estaba encinta de su primer hijo, René. Pensé que ella no estaba en condiciones de viajar pero ella no estaba de acuerdo y tuvimos una discusión. *Lupe se quedó en Nueva York*. A mi regreso *de la gira* ella ya había firmado un contrato exclusivo de grabación con Puente[63].

Con Mongo Santamaría La Lupe ascendió nuevamente al estrellato. Los años sesenta fueron una época de convulsión musical, y se presentaron muchos cambios que, aunque directamente nada tenían que ver con industria musical latina, le iban a acarrear en forma indirecta una increíble cantidad de transformaciones.

Con todo lo que se ha dicho de La Lupe, era también una mujer humilde y poco pretenciosa. Poseía un talento increíble y podía ser problemática. Le daba miedo hasta de subir al tren subterráneo, miedo que, creo, nunca superó. Una vez me contó que la primera vez que viajó en el tren se desmayó. Así era Lupe, sencilla a veces, a veces complicada, pero tenía un tremendo sentido del humor y fue una de las personas más talentosas que haya conocido yo en la vida[64].

La Lupe y su soberbia actuación iban a hacer parte integral de los cambios que se cernían sobre el futuro.

Los Beatles encienden una revolución

Para poder comprender una época debemos echar una mirada a todas las fuerzas en movimiento en ese tiempo.

---

63 Ibíd. El subrayado es mío.

64 Entrevista a Tito Puente, marzo de 2000.

Los años sesenta fueron una época de revolución cultural como ninguna otra en la historia reciente de Norteamérica. Esa revolución incidió sobre todas las áreas de nuestras vidas y la música no fue la excepción.

En la década anterior el sonido big band de Frank Machito Grillo[65], Tito Rodríguez[66], Tito Puente[67] y el sexteto de Joe Cuba[68] dominaba en el mercado latino.

Otros, como los pianistas puertorriqueños Noro Morales y José Curbelo, el sexteto La Playa y los cantantes Vicentino y Miguelito Valdés, disfrutaban de un éxito relativo. Pero nada había preparado a Estados Unidos para la revolución de Los Beatles.

El nuevo sonido del cuarteto inglés rápidamente tomó por asalto la estructura musical norteamericana, creando el fenómeno conocido como la beatlemanía. Habiendo pasado apenas pocos años desde *el día en que la música murió*[69], Norteamérica seguía en el limbo musical. Los Beatles se encargaron de despertar al país y el remezón de su extraordinario éxito se sintió a través de toda la estructura musical latina. Hacía

---

65 La orquesta de Machito fue una de las más populares en los años cincuenta y sesenta. Con arreglos de Mario Bauzá, cuñado de Grillo, y con Machito y su hermana Graciela como vocalistas, fueron una de las orquestas latinas más respetadas de la época.

66 Rodríguez vino a la ciudad de Nueva York a los trece años y comenzó su carrera como vocalista. Una de las mejores voces, si no la mejor, que hayan distinguido el ámbito latino de Nueva York, Rodríguez murió temprano, víctima de la leucemia, dejando tras de sí un increíble legado musical.

67 Apodado el Rey, Puente fue el artista latino más prolífico de todos los tiempos. Falleció en Nueva York el 31 de mayo de 2000 a la edad de 77 años.

68 Gilberto Calderón, un conguero del East Harlem, más conocido como Joe Cuba, estaba a la cabeza de un grupo de jóvenes músicos muy capaces que llegaron a ser una de las agrupaciones de baile más populares del momento. Willie García, el esposo de La Lupe, cantó con ellos por un tiempo.

69 El 3 de febrero de 1959 los músicos Buddy Holly, Ritchie Valens y The Big Bopper murieron en un accidente aéreo en Iowa, enviando al mercado del rock and roll en una caída en picada de la que tardó años en recuperarse. La fecha quedó inmortalizada en la canción American Pie, del cantante canadiense Don Malean.

falta un sonido nuevo, como quedó en claro con la repentina demanda por los chicos de Liverpool[70]. Muy pronto los latinos andaban también en busca del cambio.

En 1964 los Beatles llegaron a Estados Unidos y desde ese momento todo se volvió música pop. El sonido caribeño era para los abue-
los. De hecho, algunos empezaron a llamar al *son montuno música de
viejitos*[71].

Había una demanda de música exótica, de un sonido que no tuviera que ver con la tradicional música afrocubana. A comienzos de los
años sesenta se podría decir de la música que estaba huérfana, confun-
dida e inestable. Los músicos latinos se hallaban en medio de corrien-
tes musicales distintas: el pop, la bossa nova y las distintas alternativas
que ofrecía el jazz, sin saber muchas veces por dónde tomar[72].

Como mercado, la música latina siempre había respondido a las
condiciones sociopolíticas de los latinos en particular y de Norteamérica en general. Esto nunca fue tan evidente como durante la década
de los sesenta.

El musicólogo Hernando Alvericci explica: Al principio de la década, los músicos se vieron obligados a experimentar constantemente
con los nuevos ritmos para mantenerse al día. Fue un período de tran-
sición y lo tradicional fue desechado para buscar nuevas formas de expresión musical, algunas más exitosas que otras[73].

En ese tiempo Tito Rodríguez disolvió su orquesta para dar comienzo a una muy exitosa carrera de solista. Mongo Santamaría buscó

---

70 Los Beatles venían de esta ciudad inglesa.

71 El subrayado es mío. En Puerto Rico en los años sesenta el son montuno era llamado *música de viejitos*. Hernando Calvo Espina, *Salsa, esa irreverente alegría*, págs. 63-64.

72 Ibíd.

73 Entrevista a Hernando Alvericci, febrero 24 de 2000.

refugio en el jazz, pero Tito Puente decidió continuar en el mercado latino.

Prosigue Alvericci: ...La Lupe fue sin duda la figura que le permitió a Puente ser protagonista y reconquistar la popularidad entre los jóvenes de la época. Tito Puente, al contrario de Tito Rodríguez y Mongo Santamaría, no dispersó su orquesta ni se arrojó en la red protectora del jazz. Decidió quedarse con el mambo, el chachachá y demás ritmos latinos de la era como la pachanga, el dengue, el bugalú y el shingaling.

Lupe en la noche en que fue coronada Reina de la Canción Latina.

Fue una dinámica y curiosa cantante cubana, La Lupe, quien le dio ese toque extremo a Puente; es decir, esa nueva dimensión irreverente que estaba de moda. La Lupe sacó provecho de este período de cambio e inestabilidad y lo convirtió en su reino absoluto[74].

La oportunidad era demasiado buena para desaprovecharla y La Lupe y el Rey echaron mano de esta.

En octubre de 1967 el afamado promotor Federico Paganni[75] y el disc-jockey radial Symphony

---

74 Ibíd.

75 Promotor puertorriqueño, Paganni fue parte integral en la creación de salones de baile latinos por todo Nueva York. Hizo tanto como los mismos músicos para que los latinos se pusieran a bailar en la década de los cincuenta.

Symphony Sid en un retrato clásico.

Sid[76] organizaron un concurso donde el público votó por su artista femenina favorita en el programa de Sid. La Lupe ganó fácilmente y fue coronada en un baile en el Happy Hills Casino de Manhattan. Sid y Paganni colocaron una corona de plata en las sienes de Lupe para celebrar la ocasión.

Después se organizó una segunda coronación oficial en el hotel Saint George. En esta ocasión fue necesario llamar a los departamentos de la policía y los bomberos, pues eran tantas las personas que abarrotaban el hotel, que los bomberos temieron que el piso fuera a socavarse.

Para rematar la ocasión, *el rey de la música latina* Tito Puente colocó una hermosa corona de oro sólido de dieciocho quilates en la cabeza de La Lupe, oficializando lo que todos en el negocio de la música latina ya sabían: que Lupe Victoria Yolí Raymond era en efecto *la Reina de la Canción Latina*.

El éxito de la combinación de Tito Puente y La Lupe permitió a la cantante, que acababa de cumplir 28 años, convertirse en *la Reina de la Canción*

76 Symphony Sid formó parte de una avanzada de disc-jockey visionarios tales como Dick Ricardo Sugar, Joe Gaines y Roger Dawson que junto a otros se labraron un nombre programando de modo consistente música latina en los años cincuenta y sesenta.

Latina para el *Rey de la Música Latina*, el propio Puente. Este título le fue conferido a ella por sus admiradores y aún lo sigue ostentando, once años después de su fallecimiento.

Fue una época de oro para Lupe. Su rostro decoraba las portadas de incontables publicaciones de los medios tanto norteamericanos como hispanos. Estaba en la cima del mundo.

Uno de los más grandes promotores de su tiempo, Héctor Maisonave, recuerda con cariño a La Lupe: Era una dama muy especial. Un imán. Atraía personas de todos los estilos que pagaban cualquier precio por acudir a verla. Ella tenía el don de agotar taquillas, cuestión de

magia pura. Aunque la gente hablaba mucho de su estilo en escena, diciendo que hacía cosas que en la mayor parte no eran ciertas, la verdad es que tenía un gran sentido del humor y que enfrentó la adversidad como muy pocos han podido hacerlo. Aunque era un alma atormentada, nunca perdió el gusto por la vida[77].

Es interesante anotar que La Lupe llegó a ser una estrella de talla internacional por el simple hecho de ser ella misma y por haber dado con un foro de expresión único en el mundo, algo que el nuevo gobierno revolucionario de Fidel Castro le había negado en su Cuba natal.

El productor Héctor Maisonave (centro) trabajó muchos años con La Lupe. A la derecha está Tito Rodríguez, con quien ella compartió cartelera en el Madison Square Garden.

---

77 Héctor Maisonave fue uno de los más importantes promotores de la época. Fue entrevistado el 12 de febrero de 2002.

Arroz con habichuelas y Qué te Pedí

Morris Levy fue uno de los verdaderos personajes de la música latina. Presidente de Roulette Records y luego de Tico Records, muchos músicos lo tildaban de mafioso y lo consideraban despiadado.

A su favor, Levy tenía un excelente oído para la música y buen ojo para las buenas presentaciones; y en cuanto vio a La Lupe supo que la tenía que contratar.

Las grabaciones más logradas de La Lupe se hicieron bajo la tutela de Levy. Ella se convirtió en la estrella de su sello disquero, donde vendió millones de copias que le merecieron una plétora de discos de oro por sus esfuerzos. Fue Levy quien grabó juntos a Tito Puente y La Lupe por primera vez.

Con la Orquesta de Tito Puente, La Lupe grabó el clásico *Tito Puente Swings - The Exciting Lupe Sings* en 1965, bajo la producción de Teddy Reis.

El disco incluía un favorito de todos los tiempos, Qué te pedí, del compositor cubano Fernando Muelens[78].

El tema, uno de los más grandes éxitos en la historia de la música latina, catapultó a La Lupe a la altura de una verdadera superestrella, vendiendo, según algunos cálculos, más de 500 000 copias, con lo que se convirtió en un gigantesco éxito en Nueva York y Puerto Rico y más adelante en el mundo entero.

En 1965 sólo había que encender la radio y esperar unos minutos: *Qué te pedí* iba a sonar con toda seguridad. Era una de esas cosas infaltables de esos tiempos: arroz con habichuelas y *Qué te pedí*.

Junto a Puente, La Lupe tuvo luego una rápida sucesión de éxitos que elevaron a *la Reina de la Canción Latina* hasta la cresta del mundo musical latino.

Aunque se la recuerda más por su interpretación de boleros como *La tirana* y *Puro teatro*, ambas salidas de la inspiración del más grande compositor de la historia del Servicio Postal de Estados Unidos, el puertorriqueño Catalino Tite Curet Alonso[79], *Se Acabó* (Julio Gutiérrez), *Si vuelves tú* (P. Mauriat) y *Qué te*

---

78 Frenando Muelens, pianista, compositor, arreglista y director cubano, nació en San José de los Ramos.

79 Catalino Curet Alonso, apodado Tite, fue cartero. Su rara habilidad como compositor le ganó pronto una estatura sin par, siendo el más popular de la edad de oro de la salsa. Es una personalidad muy respetada en Puerto Rico y actualmente ejerce de columnista en uno de los principales periódicos de San Juan.

pedí, Lupe era igualmente versada en la mayoría de los ritmos latinos, yendo de la guaracha al mambo, del guaguancó a la bomba o la plena, y hasta el joropo venezolano, con increíble facilidad.

Víctor Gallo, presidente de Fania Records, el sello que posee los derechos de todas las grabaciones de La Lupe, recuerda a la cantante: Tenía una voz tremenda y la capacidad de cantar bien cualquier género. Era una de las pocas que podían hacerlo todo[80].

Asimismo, Lupe y Puente grabaron el muy popular *Homenaje a Rafael Hernández* (1966), *Tú y yo* (1965) y *El Rey y Yo* (1967), última grabación de su contrato con Puente, en donde ella canta su propia composición *Oriente*, uno de sus temas favoritos de todos los tiempos. El año de 1967 fue testigo también del *primer rompimiento* entre Tito Puente y La Lupe.

Todas estas producciones, con excepción de *La Pareja* (1978), fueron éxitos comerciales de mucha solidez.

Los llamados rompimientos[81], que se dice fueron tres (1967, 1972 y 1979), ejemplifican los mitos que envuelven la relación entre estas dos estrellas colosales del espectro de la música latina.

El historiador de Tito Puente, Joe Conzo, afirma que La Lupe nunca formó parte de la Orquesta de Puente.

Ellos sí grabaron cinco álbumes juntos y tuvieron mucho éxito. Sin embargo, los llamados rompimientos eran imposturas que ambos artistas sabían jugar a la perfección.

Cuando Lupe añadió la improvisación *¡Ay, ay, ay, Tito Puente me botó!*[82] a la canción *Oriente*, se trató de una estrategia de ventas. Tito y

---

80 Entrevista a Víctor Gallo, febrero de 2000.

81 En las historias de La Lupe se dice reiteradamente que Tito Puente la despidió de su orquestra en varias ocasiones a causa de disputas sobre algunas decisiones hechas en el estudio de grabación.

82 La improvisación era una variación de un hit de la época, el bugalú Micaela de Pete Rodríguez, que decía: ¡Ay, ay, ay, Micaela se botó!

Lupe fueron amigos toda la vida y se presentaron juntos en numerosos escenarios. Simplemente grababan y después seguían sus respectivos caminos según las oportunidades que el mercado les ofreciera. Hay que recordar que Tito realizó muchas grabaciones de jazz por esos años y que viajaba mucho. Pero nunca dejó de hacer conciertos con Lupe. Si lo del rompimiento hubiera sido cierto, nunca se habrían presentado juntos en el concierto de *Tico/Alegre All Stars* en el Carnegie Hall en 1974[83].

Durante la grabación del álbum *Tú y yo*, La Lupe había presentado problemas con las cuerdas vocales por primera vez. Además, había estado hospitalizada varios días a causa de un nervio comprimido en el cuello. Lupe era una guerrera y dejó la cama para ir al estudio a cantar su parte. Cuando acabó regresó directamente al hospital. Esto nunca se hizo público, pero si se escucha el disco con cuidado se pueden apreciar pequeñas variaciones en el tono de voz de La Lupe que se explican por el estado de sus cuerdas vocales y por los dolores que tuvo que soportar durante las sesiones de grabación.

De hecho, la grabación de El Rey y Yo (1967) basta para terminar con todas las especulaciones. En ese disco Lupe y Puente grabaron Oriente, la canción donde Lupe improvisaba: *Tito Puente me botó*. Si eso hubiera sido verdad, ellos nunca habrían incluido esa canción en el disco, el último del contrato firmado entre Lupe y Puente. El estribillo era un truco publicitario y funcionaba a las mil maravillas cada vez que ellos se unían para un concierto.

El otro mito, un mito al que daban crédito muchos de sus seguidores, era que Puente y Lupe tenían amoríos, lo que se vio acentuado con la grabación de *La Pareja* en 1978. Eso era simplemente falso[84].

---

83 Joe Conzo, reconocido historiador de la música, ha documentado la carrera de Tito Puente. Fue entrevistado el 20 de junio de 2002.

84 Ibíd.

Antonia Rey[85] confirma los comentarios de Conzo: A finales de su vida estaba yo conversando con Lupe en el hospital y ella me confesó que había estado un poquito enamorada del Viejo[86], pero que nunca habían tenido nada.

Una cosa es segura: Tito Puente y Lupe Yolí compartían una admiración mutua que muy contadas veces se ve en el mundo del espectáculo; y Puente siempre consiguió obtener lo mejor de La Lupe, tanto en escena como en el estudio de grabación.

Lupe se casa… y toma un Santo

En 1964 La Lupe cantó en la Feria Mundial de Nueva York. Por esos días fue cuando conoció a un joven cantante de salsa llamado William Willie García.

García, también cubano, y mucho más joven, era un hombre muy bien parecido. El cantante tenía además una fuerte reputación de galán. A su favor se puede decir que Willie era muy ambicioso y lleno de talento, tanto como para presentarse con grupos populares como la Orquesta de Ray Barreto[87] y luego como cantante principal del Sexteto Joe Cuba[88], una de las más afamadas agrupaciones en su momento y grabar con en el ahora clásico Grupo Folclórico Experimental Neoyorquino.

---

85 Entrevista a Antonia Rey, junio 15 de 2002.

86 La gente del medio llamaba cariñosamente, pero a sus espaldas, el Viejo al Rey. Aunque era un término afectuoso, nadie se atrevía a decírselo a la cara.

87 Ray Barreto es un aplaudido músico nacido en Nueva York de ascendencia puertorriqueña, quien se ha labrado un nombre en los mercados latino y del jazz.

88 Gilberto Calderón nació en el Harlem Hispano de Nueva York. Conocido por el nombre artístico de Joe Cuba, dirige un sexteto que fue una de las bandas más populares en las décadas de los sesenta y los setenta, que vendieron millones de discos en los mercados latino y norteamericano. La agrupación de Cuba fue la primera en cruzar con éxito al mercado anglo, con mega-hits como *Bang Bang* y *To Be with You*.

Lupe y Willie en 1964.

Ray Barreto recuerda: Tocábamos en un baile y Lupe vino a ver cómo era la orquesta. Pero al que vio fue a Willie. Se le acercó y le dijo que si se iba con ella ya no tendría que ganarse la vida cantando más en clubes. Y él se fue con ella. Él tenía mucho potencial y pudo haberse convertido en un cantante muy bueno por cuenta propia[89].

Las chispas saltaron rápidamente y los cantantes se casaron a finales de 1964. Era el segundo matrimonio de Lupe y el primero de García. Willie instantáneamente se convirtió en un padre para René, el primer hijo de La Lupe, nacido ese mismo año, producto de un fugaz amorío con otro guapo cubano, un botones llamado José Camaño[90].

La nueva familia se encauzó prontamente en una vida normal, alimentada por el amor y la atención que Lupe derrochaba sobre su nuevo esposo.

En lo económico, la situación era boyante para los recién casados, que se instalaron en una mansión que antiguamente había sido propiedad de Rodolfo Valentino, situada en el 223 de Knickerboker Road en Englewood Cliffs, en Nueva Jersey.

La relación con Willie García dice René Camaño fue la primera y única relación de largo alcance que tuvo mi madre. Él fue la única

---

89 Entrevista a Ray Barreto, 4 de octubre de 2002.

90 Uno de los muchos amores que se le conocieron a La Lupe, Camaño vive aún en Miami y se dice que es dueño de una cadena de restaurantes.

figura paternal de mi juventud; y todo fue bastante estable, mientras duró[91].

Tenían todo lo que hubieran podido desear: talento, éxito, dinero, además de ser bien parecidos, pero el fuego que hizo de Lupe una estrella la impulsaba también en una búsqueda aún más profunda, la búsqueda espiritual.

Lupe se había sentido atraída siempre por lo sobrenatural, por los asuntos del espíritu y el espiritualismo.[92] Esta era una constante de la vida de Lupe. Ahora estaba lista para aventurarse por un nuevo camino, un camino recorrido por pocos y que de seguro cambiaría su vida. El anhelo de la búsqueda espiritual había sido siempre una parte integral de su personalidad; ahora contaba con la libertad y el dinero para hacerlo realidad. El vehículo fue la santería[93].

---

91 Entrevista a René Camaño, hijo de La Lupe, 18 de junio de 2002.

92 Búsqueda religiosa de naturaleza metafísica, se basa en un sistema de creencias que enseñan que es posible la comunicación con los espíritus. Se fundamenta en las enseñanzas de Alan Kardec.

93 Culto basado en una tradición afrocaribe que se practica desde los tiempos de la colonización del Caribe

Tiempos felices: La Lupe en compañía de Tito Puente (derecha), el productor de discos Joe Cain (centro), el promotor Richard Nader (sentado) y la figura radial Paco Navarro (izquierda).

En el día de su boda Lupe es toda sonrisas. A su lado, Willie García. En primer plano, su padrino del santo, Víctor García.

Capítulo IV

La santería: una fuerza que cambió su vida

Si Dios no existiera, sería necesario inventarlo
Voltaire (1694-1778)

Lupe había tratado con practicantes del espiritismo desde pequeña. Su tía materna, Cachita, así como su madre Paula, habían sido *espiritistas*[94], al igual que tantos otros cubanos. Entre ambas plantaron en Lupe la semilla el *espiritismo* y la necesidad de penetrar en los asuntos del espíritu. Con el tiempo esa semilla floreció en el deseo irreprimible de adelantar su propia búsqueda espiritual. El hecho de que su esposo Willie García fuera santero facilitó todavía más esa búsqueda.

La Lupe se pasea con el joven René y la pequeña Rainbow.

94 Persona que practica ritos espirituales propios de religiones practicadas en las islas del Caribe.

Mi madre se volvió santera dice Rainbow García para resolver una apuesta entre Mongo Santamaría y Tito Puente. Santamaría decía que ella era hija de *Changó*[95] y Puente que era hija de *Ochún*[96]. Entonces la llevaron a un *templo de santería* y el *padrino de santo* de Puente sentenció que ella era hija de *Ochún*. Después de eso la coronaron, y su devoción por esa religión le cambió la vida por completo y acabó por afectar la nuestra[97].

La *santería* en sí no es una religión antigua. Sus orígenes se pueden rastrear hasta los días de la conquista española. No obstante, las raíces de esta tradición son tan remotas como la propia humanidad y se remontan en el tiempo hasta las primeras religiones africanas.

Cuando los españoles trajeron a las Antillas esclavos africanos para trabajar en la minería del oro o en las labores de la agricultura, también trataron de convertirlos al catolicismo. La reacción de los esclavos fue rebautizar a los santos católicos que les obligaban a adoptar con los nombres de sus deidades africanas.

La santería como religión se desarrolló en el batey[98] de la Iglesia católica. Mientras los españoles creían que estaban enseñando una nueva religión a los esclavos, estos en realidad estaban utilizando la nueva religión para reforzar los lazos con su cultura nativa. Con el tiempo la santería fue adoptada por la clase popular cubana y se incrustó en la vida cotidiana de Cuba.

---

95 Deidad espiritual, se le considera el dios del fuego y los rayos

96 Diosa del amor y la sensualidad, se la iguala con la Virgen de la Caridad del Cobre, santa patrona de La Habana.

97 Entrevista a Rainbow García, hija de La Lupe, mayo de 2002.

98 Patio posterior, corral, en taíno, lengua de los indios taínos, habitantes originales de las islas del Caribe.

Aunque la *santería* se expandió rápidamente por todo el Caribe y todavía se practica en Puerto Rico, República Dominicana, Haití y Jamaica, ha conservado más influencia en Cuba, donde es fácil encontrar cantidad de músicos modernos que todavía se identifican fuertemente con esta religión. Todo esto va unido indiscutiblemente al culto del tambor, un instrumento vital de la música latina que tiene ramificaciones con los descendientes directos de los esclavos africanos que poblaron las islas en los tiempos de la Colonia.

Las siete potencias

No podemos hablar de santería, o de música cubana, si a eso vamos, sin conocer sobre las *siete potencias*. Estas son los orishas (deidades) más poderosos, y cada uno tiene su contraparte en la religión católica.

A continuación las enumeramos brevemente: *Olofi*, que tiene su contraparte en Jesús de Nazaret; su color es el blanco.

Babalú-Ayé es el Dios de las enfermedades y su equivalente es San Lázaro. Camina con muletas y tiene llagas en las piernas. Castiga con enfermedades infecciosas cuando se ve ofendido. Sus colores son el habano claro y el púrpura.

Changó simboliza el fuego y los rayos, la pasión y la lujuria. Se le representa como un gran guerrero. Vive en las copas de las palmeras y habla a través de los *tambores batá*[99]. Sus colores son el rojo y el blanco.

Eleguá es el hijo de *Obatalá*. Representa tanto el bien como el mal. Su altar debe estar detrás de la puerta principal de las casas de habitación.

---

99 En lengua yoruba batá significa tambor. El más pequeño de ellos es el Okonkolo. El tambor de tamaño mediano es el Itotele y el más grande es el Iya. Hasta 1930 el batá aparecía únicamente en las ceremonias de santería. Estos son los tambores parlantes que cantan las canciones esotéricas de las antiguas lenguas yoruba de los esclavos. Por tradición las mujeres se mantenían lejos de ellos, aunque actualmente es posible encontrar mujeres que tocan el batá.

Equiparado con San Antonio, sus colores son el rojo y el negro.

Obatalá simboliza la paz y la justicia. Se le asocia también con la creación, la muerte y los sueños. Se le suele representar como un anciano encorvado vestido de blanco. Obatalá es el padre de los *orishas*. Su color es el blanco, aunque a veces se mezcla con rojo.

De *Ochún* se sabe que ama a los niños, es protectora del matrimonio y está a cargo de las artes y los ríos. Se iguala a la *Virgen de la Caridad del Cobre*, santa patrona de Cuba. Sus colores son el amarillo y el oro.

Ogún es un poderoso Dios guerrero. Se le asocia con los accidentes, el derramamiento de sangre y las cirugías. Sus colores son el verde y el negro.

Yemayá es símbolo de la maternidad, así como la protectora de las mujeres. Es la madre de los *orishas* y reina de los ríos y los mares. Sus colores son el azul y el blanco.

Hay otros *orishas* menos poderosos pero que juegan un papel muy importante en la religión.

Oyó custodia los portales de la muerte y gobierna los vientos y las tempestades. Es también el guardián de los cementerios. Sus colores asumen diseños florales.

Olokún es el propietario original de la tierra. La deidad representa también las profundidades del océano y se presenta generalmente bajo la forma de un tritón. Su color es el azul.

Orúnmila viaja entre el cielo y la tierra. Se le equipara con San Francisco de Asís. Sus colores son el verde y el amarillo.

La Lupe es coronada Ocanto Mi

La Lupe era conocida por vivir buscando orientación espiritual, incluso antes de convertirse en *santera*, y por encontrarla dondequiera que se presentara la ocasión.

Para ella no había diferencia entre asistir a una iglesia católica, hacerse leer la mano o las cartas o acudir donde un *espiritista* o un *santero*. Todo era igual. Ella sólo buscaba una guía espiritual y no se cerraba a encontrarla en parte alguna.

En 1964 Lupe Yolí se puso los collares[100] por primera vez. Se iniciaba un proceso que iba a culminar en la ceremonia de yabó[101] en 1968 y finalmente en que la hicieran santo en 1969.

Al tercer día de tener puestos los *collares*, mientras dormía, se le rompió uno de ellos y las cuentas rodaron bajo la cama.

Lupe empezó a buscar desesperadamente las cuentas valiéndose de una vela, en la creencia de que perderlas era agüero de mala suerte. La cama se prendió en fuego y las llamas consumieron su apartamento.

Aunque Lupe escapó ilesa, perdió el dinero que tenía ahorrado, y tuvo que volver a empezar de cero. El incidente muy bien pudo ser una premonición de lo que le guardaba el futuro.

---

100 Cuentas de colores que denotan lealtad a una o más de las siete potencias. También señalan la iniciación de un nuevo adepto al culto.

101 Durante el yabó el candidato se viste de blanco por espacio de un año y se rapa el cabello.

Lupe sintió miedo. Le habían hecho creer que todo en la vida está dominado por los *santos*. Cuando indagó por la explicación del incendio, el babalawo le contestó que era parte de su ritual de purificación.

En 1968 un grupo de *santeros* dictaminó que los triunfos de La Lupe se debían a la influencia de los *santos*. Ahora era necesario hacerla a ella santo. En su testimonio Lupe reconoce que ella entró al culto completamente a ciegas y sin saber lo que implicaba realmente[102].

El 30 de noviembre del año 1969 se hizo *santo* a Lupe[103], en una ceremonia a la que asistieron los padres de Willie García y la madre de Lupe, quien nunca aprobó que su hija se dedicara al culto de la *santería*, así como numerosos amigos. A partir de aquel día todos los santeros conocerían a Lupe Yolí como *Ocanto Mi*, coronada *Ochún*, hija de *Eleguá*.

Los santeros se aprovecharon siempre de Lupe dice Johnny Surita. El día de la ceremonia del *santo* te llevan al río, te rasgan las ropas que llevas puestas y las arrojan al agua[104].

A Lupe no le explicaron en qué consistía la ceremonia. Ese día se apareció vestida como una reina, envuelta en un hermoso abrigo de visón. A ellos no les importó. La ceremonia continuó y eliminaron su vestimenta según la tradición. A veces me pregunto qué pensaría Lupe al ver su preciado abrigo de visón hecho pedazos flotando río abajo[105].

Este fue quizás un anticipo de lo que vendría más adelante en sus experiencias con el culto. Con el tiempo, tanto su carrera como su vida también se irían río abajo.

---

102 Testimonio de La Lupe, 1989.

103 El costo de hacer santo a Lupe se ha calculado en cerca de 30,000 dólares.

104 Ritual de purificación para volver al estado en que se vino al mundo, desnudo, y comenzar una nueva vida.

105 Entrevista a Johnny Surita, 14 de agosto de 2002.

Cuando Lupe viajaba no sólo llevaba su equipaje sino también un nutrido séquito de *santeros*. Era normal oír que un grupo de veinte personas iba de gira con ella. Lupe pagaba todos los gastos, por supuesto[106].

A todos los miembros de la familia los acabaron haciendo santos[107]. Willie García ya era santero, y el pequeño René, el hijo de Lupe, fue coronado en 1974, a los diez años de edad.

Para entender el comportamiento de La Lupe, considerado estrafalario por la mayoría de las personas, hay que entender su ligazón con el culto.

Lupe con una medalla de la Virgen de la Caridad del Cobre.

106 Entrevista a Johnny Surita, 16 de agosto de 2002.

107 Te hacen santo cuando te inician en el culto.

Guadalupe Victoria Yoli -Ocanto Mi (Ibayé) ,se corono Oshun -Ibu Kole su Padre-Elegua en el dia 30 de Noviembre del 1969 NY. Ella viene de la rama de "La Piementa.

Cabildo de Regla -La Pimienta es el templo de santería de Susana Cantero -OmiToki (Ibayé)-Tata Abuela Del santo de La Lupe.

Lola Barkin-Yemaya Omi Dina (Ibayé) -Abuela Del Santo de la Lupe.

Victor Garcia-Oshun Toki (Ibaye) Padrino Del Santo de La Lupe.

Ortilia Garcia-Mima-Omi Toki Ajubona Del Santo de La Lupe.

Estas frases simples atestiguan la coronación de Lupe Yolí como Ocanto Mi, hija de Ochún.

Estos recuerdos de La Lupe vienen
de mima-Otilia Garcia -OMi Toki, su
Ajúbona del Santo.

Ella celebra 50 años de a Coronado
Yemaya el dia

Diciembre 5, 2001

En el Bronx-
 253 Underhill Avenue
Bronx, New York

(718) 991-1236

La *santería* exige una dedicación total del individuo que se hace
santo a su nueva familia (conocida como *la familia del santo*, que incluye abuela, abuelo, madrina y padrino) y la comprensión cabal de que
todas las decisiones se toman consultando con la familia y/o el *santo*.

Ortilia García, su *madrina de santo*, recuerda a La Lupe: Era una
buena ahijada. Su *abuela de santo* era Lola Barkin. Su *padrino de santo*
era Víctor García. Siempre pudimos contar con ella (Lupe), pero entonces resolvió salirse por esa otra religión (se refiere a su conversión a
la fe protestante), y eso fue su perdición[108].

Lupe vivía cantando dice Antonia Rey, vivía riéndose. Caminaba
por la calle cantándoles a los *santos*, llevando un montón de joyas que
muy bien podían haber sido el inventario de una pequeña tienda. Todas esas cadenas tenían un significado religioso, y por eso la gente creía
que era medio rara. Ella tomaba muy en serio su religión[109].

---

108 Entrevista a Ortilia García, 19 de junio de 2002

109 Entrevista a Antonia Rey, 17 de junio de 2002.

Una festividad a la que asiste el santo inmediato de La Lupe.

Uno de los deberes de Lupe en el culto era el de conseguir nuevos prosélitos, especialmente músicos.

Según palabras de René Camaño, el hijo de Lupe, Mi madre era utilizada como una especie de reclutadora. Por su popularidad y su habilidad para atraer a la gente, se esperaba que trajera artistas a la religión. La recuerdo poniendo los *collares* al cantante Ismael Rivera[110] y ayudando a reclutar a la cantante Melba Moore, que también se convirtió a la religión[111].

Como hija de *Ochún*, Lupe exhibía las características de la diosa.

Ochún es considerada la *Afrodita Lucumí*[112]. Es la diosa del amor carnal y se la equipara con la santa patrona de Cuba, la Virgen de la Caridad del Cobre. El folclor dice que durante los bailes en su honor *Ochún* exige: ¡*Oñi, oñi!* (¡Miel, miel!), un afrodisíaco que simboliza el dulzor y sabrosura de la esencia de la vida[113].

La forma nada ortodoxa de bailar de La Lupe y su sensualidad dentro y fuera del escenario revelaban claramente su estrecha afinidad con la Diosa.

---

110 Ismael Rivera nació en Santurce, Puerto Rico. Conocido como el Sonero Mayor, Rivera es uno de los cantantes más importantes de la historia de la música latina. Compuso también algunas canciones muy notables.

111 Entrevista a René Camaño, 12 de junio de 2002.

112 Lucumí es el nombre dado en Cuba a los yorubas, africanos del suroeste de Nigeria.

113 Miguel Barnet, *Afro Cuban Religions*, 2001, pág.57.

Todos los sistemas de adivinación empleados en las religiones afrocubanas poseen una rica base mitológica. Por ejemplo, cada letra o signo producido al arrojar las cáscaras de coco o que se lee en la bandeja de adivinación llamada *ifa*[114] posee uno o más *pwatakís*[115] que versan sobre él[116].

Los resultados obtenidos al tirar los *caracoles*[117] (bucios) informan al *santero* sobre cómo proceder en una situación determinada. En el caso de La Lupe, los caracoles le decían cuándo acudir al estudio de grabación, qué canciones cantar y cómo cantarlas, así como todas las demás decisiones mundanas, que podían ir desde la adquisición de un automóvil o una casa hasta las compras en el supermercado.

Los *santeros* miran los poderes de *Ochún* con gran respeto. Como firme aliada de los *babalawos*[118] y ayudante de *Orula*, *Ochún* posee también el don de la adivinación y, según los negros más ancianos, la diosa se valía de este poder en el pasado[119].

En este contexto es fácil comprender por qué La Lupe utilizaba constantemente las *cáscaras*[120] para la adivinación con el fin de decidir cómo proceder, así como por qué vivía cantando a los santos. Sus actos eran parte inexorable de la religión, y como hija de *Ochún* y fiel

---

114 Dios de la adivinación.

115 Miguel Barnet, obra citada, págs. 57-60. En el mito de los orishas, estos eran los antepasados que ejercían control sobre las fuerzas naturales. Estos seres actúan como intermediarios entre la humanidad y la Deidad Suprema.

116 Ibíd., pág.5.

117 Durante siglos, tirar los caracoles ha sido un de los métodos favoritos de adivinación de los santeros, que leen los símbolos y letras formados por las conchas para predecir el futuro.

118 Padre de los secretos; oráculo de Ifa, sacerdote en las religiones de los yoruba o Lucumí.

119 Miguel Barnet, obra citada, pág.5.

120 Éstas consistían en tres trozos secos de corteza de coco. Cuando caen boca abajo quiere decir ocama, o sea: no. Si caen boca arriba, significa alafi, o sea: sí. Mediante este mecanismo de toma de decisiones Lupe dirigió su vida todo el tiempo que estuvo en el culto.

creyente que era, su deber era actuar de esa manera, sin importar lo que la gente pensara o sintiera acerca de ella.

Representación artística de Ochún.

Un ejemplo de cómo podía esta situación regir la vida de un *santero* se puede ver en lo siguiente: *Ifa* dice que la *Virgen de la Caridad* (*Ochún*, que era el *santo* de Lupe) está enojada contigo, y si todavía no tienes un hijo es porque ella no lo quiere. Sin embargo, tu destino es tener uno. Debes pagar lo que has prometido y recibir a *Orula*[121], para que aquellos que no lo respetaban se vean obligados a hacerlo. Esto da una idea de cuántos pwatakís gobiernan los aspectos de la existencia humana[122].

En general, estos sistemas de creencias se centran en el culto de los *orishas* de la región *yoruba*[123] de Nigeria y su adaptación a sus contrapartes católicos en el Caribe, particularmente en la isla de Cuba.

En el caso de Lupe, a ella la hicieron hija de *Ochún Kole*, diosa de todas las virtudes femeninas.

La diosa es descrita como coqueta, afectuosa, obediente y laboriosa. También es buena bailarina y muy sensual y musical[124].

Si hubiera que describir a La Lupe, los rasgos de la diosa le sentarían a la perfección. Ella ostentaba todas esas características y, por añadidura, era una cantante de una increíble sensualidad cuya tonalidad y ritmo cautivaban al público.

Algunos han explicado las singularidades escénicas de La Lupe como un caso de posesión espiritual.

Juan Sánchez[125], tal vez el mayor admirador que haya tenido La

---

121 Uno de los nombres dados a la divinidad tutelar del panteón de la santería cubana. Es el dueño de la bandeja de adivinación de Ifa.

122 Miguel Barnet, obra citada, pág.7.

123 Región de Nigeria de donde provenían originalmente los esclavos del Caribe.

124 Miguel Barnet, obra citada, pág. 56.

125 Desde la primera vez que la vio cantar Sánchez se convirtió en su admirador y siguió a Lupe a todas sus presentaciones. Con el tiempo se hizo amigo de la diva.

Lupe, dice: Su actuación era real. Cuando estaba en escena el *santo*[126], como ella le decía, se le montaba encima[127], y por esa razón siempre se podía esperar lo inesperado en sus presentaciones. Ella me contó en muchas ocasiones que hacía cosas en escena que no planeaba o esperaba hacer[128].

El agente musical Richie Bonilla contrató a Lupe muchas veces.

En sus presentaciones La Lupe se hallaba indudablemente bajo la influencia de espíritus, prácticamente en trance. La vi en escena muchas veces y su presentación no era actuación: era de verdad[129].

Johnny Surita fue mucho más enfático.

Johnny Surita, actualmente un pastor, fue inseparable compañero de La Lupe desde los trece años.

Lupe invocaba espíritus todo el tiempo. Antes de una presentación Lupe se daba un baño con una mezcla de miel, flores blancas y un perfume llamado *Agua de Pompeya*. Luego arreglaba la ropa con mucho cuidado sobre la cama.

Era un ritual muy complicado. Para ella era una experiencia metafísica. Podía entrar en verdaderos estados de éxtasis. Cuando estaba en ese estado podía mover su piano de cola sin ayuda de nadie, la energía que le entraba a ese cuerpecito suyo era increíble.

---

126 Obsérvese cómo se relaciona el santo con el orisha.

127 La expresión alude a la posesión física temporal por un ente espiritual.

128 Entrevista a Juan Sánchez, 22 de febrero de 2000.

129 Entrevista a Richie Bonilla, 5 de septiembre de 2002.

Empezaba a hacer sus ejercicios vocales y a llamar a sus seres. Se ponía a vocalizar y a cantar en Lucumí. Antes de subir al escenario empezaba a llamar a un ser llamado Carmen, un viejo espíritu que la gente cercana a ella decía que era el espíritu de la famosa cantante de flamenco española Carmen Anaya. Se ponía a invocarla: ¡Carmen, Carmen, Carmen!, primero lentamente y luego más rápido, hasta que salía a escena[130].

Cuando la Yiyiyi subía al escenario, ya estaba envuelta en la influencia psíquica de esas fuerzas espirituales.

El promotor Héctor Maisonave recuerda que una vez durante una función sintió algo que hasta la fecha le ha costado mucho trabajo explicarse.

---

130 Entrevista a Johnny Surita, 5 de agosto de 2002.

Durante sus presentaciones Lupe agarraba los instrumentos y los arrojaba por el escenario. Yo tenía miedo de que los *timbales, congas* o los *bongós* salieran rodando y le pegaran a alguien del público. Me hice a un lado del escenario y cuando Lupe empezó a arrojar los instrumentos agarré la *conga*. En el instante recibí una poderosa descarga de energía que me obligó a sentarme para recuperarme. Yo soy católico y no creo en la *santería*, pero esa experiencia fue muy real[131].

Lupe tenía cualidades muy palpables de *medio unidad espiritista*[132] y por eso era fácil que un elegún[133] se le subiera encima.

En esas condiciones, La persona se convierte en el vehículo que permite que el orisha regrese a la tierra a visitar a los descendientes que lo invocan y a recibir de ellos muestras de respeto[134].

La energía de ella era muy real y cuando terminaba una presentación estaba tan cargada de *fluidos*[135], que corría derecho a una gran sábana larga que le teníamos preparada. La envolvíamos en ella y así se iba calmando poco a poco. Cuando Lupe llegaba a su casa todavía estaba cargada de la energía recibida durante su presentación.

Ella tomaba unos somníferos muy fuertes para calmarse. Yo me sentaba junto a ella hasta que se dormía, lo que a veces tomaba bastante tiempo[136].

No obstante, en otras ocasiones La Lupe se veía obligada a salir estando todavía bajo la influencia de esas pastillas. Su licor favorito era

---

131 Entrevista a Héctor Maisonave, 20 de julio de 2002.

132 Un médium es una persona con facultades que permiten que una entidad espiritual se manifieste a través de su cuerpo.

133 Santo.

134 Miguel Barnet, obra citada, pág. 57

135 Así llaman los santeros la energía que recorre el cuerpo. La persona se carga de fluidos.

136 Entrevista a Johnny Surita, 5 de agosto de 2002.

el Chivas Regal en las rocas, y la mezcla de alcohol y drogas a veces daba la impresión de que se había dopado con drogas. Por consiguiente, empezaron a esparcirse rumores de que, como su ídolo Janis Joplin, La Lupe era adicta a la heroína.

En esos días, dos de los principales cantantes de la época, Héctor Lavoe e Ismael Rivera, también consumían heroína. Para los seguidores de la música, añadir a La Lupe a la lista no era difícil de aceptar, con lo que se ayudaba a perpetuar otro de los mitos que envolvían su vida.

Víctor Gallo recuerda esas peculiaridades de Lupe: Muchas veces canceló su venida al estudio porque los *caracoles* lo dictaminaban. A finales de su carrera eso se volvió un problema, porque su vida estaba bajo la dirección total de los *espíritus*, los *santos* y la *santería*. Sin embargo, Lupe no era más problemática que la mayoría de los integrantes de nuestro sello disquero en esos días. Todos tenían sus asuntos[137].

La práctica abierta de esta religión, en una época en que los *santeros* la mantenían soterrada, era un factor de angustia para quienes tenían que ver con los asuntos de Lupe.

Lupe les contó a algunos de sus allegados sobre experiencias paranormales que le habían hecho daño físico. Johnny Surita rememora: Una vez Lupe andaba llena de moretones y cuando le pregunté qué había pasado me dijo que un espíritu la había golpeado. La había sacudido por todo el cuarto y se había hecho daño. La interrogué al respecto, preguntándole si no había dejado la puerta abierta o si no había estado alguien por allá. Me dijo que lo único que sabía era que esa entidad se le había aproximado y ella se desmayó, y que cuando volvió en sí estaba llena de moretones.

---

137 Entrevista a Víctor Gallo, 19 de junio de 2002.

Ella rendía culto a una entidad que tenía algo que ver con una vara. Me dijo que ese ser la había golpeado con la vara. Esas experiencias le sucedieron unas cuantas veces, y creo que en ciertas ocasiones los *espíritus* se manifestaban físicamente dentro de ella.

Yo le cuestionaba esas experiencias, pero ella siempre se mostraba muy sincera y creía de verdad que el espíritu la había golpeado con la vara.

En otra ocasión recuerdo que bajamos al sótano y comenzamos un ritual. De repente oímos pasos bajando por la escalera. René y yo mirábamos por todos lados pero no veíamos a nadie. René subió la escalera pero fue empujado fuertemente hacia abajo, sin embargo no había nadie. Con Lupe no había imposturas, y estas son apenas unas pocas experiencias que me vienen a la mente en el momento[138].

Hay anécdotas sobre platos que volaban por la casa de Lupe, y muchos cuentan que le tenían miedo porque creían que estaba posesa y que era una bruja muy poderosa.

Lupe tenía tanto de bruja como cualquiera de nosotros. Era definitivamente una mujer de gran espiritualidad y su relación con los *santeros* la metió realmente en un atolladero. Hubo un tiempo en que estuvo muy atemorizada y no confiaba en mucha gente. Le hicieron creer que la gente estaba celosa de su éxito y trataban de hacerle mal. Fue una época terrible para ella[139].

Héctor Maisonave explica: En cierta ocasión contraté a Lupe para que cantara por 700 dólares en un barco fletado. Cuando llegó al barco me dijo que había consultado con *Yemayá* y que la diosa le había dicho que ese día no viajara por agua.

---

138 Entrevista a Johnny Surita, septiembre de 2002.

139 Ibíd.

Maisonave estaba en un apuro. Tenía un barco fletado lleno de gente coreando el nombre de Lupe. Apeló a Willie García, el esposo de Lupe, pero ella no cambiaba de idea. De hecho, sacó un huevo del bolso y lo arrojó contra una pared, diciendo: ¿Ven? *Yemayá* dice que no puedo viajar por agua esta noche.

Prosigue Maisonave: Yo saqué más billetes y conté 800, 900 dólares. Cuando le había puesto ya 1,000 dólares en la mano a Willie, Lupe dijo: si me das otros cien, yo misma hablo con Yemayá[140].

Aunque algunos de los que conocieron a Lupe ponen en duda esta anécdota, afirmando que ella era muy devota y nunca haría o diría semejantes cosas, lo cierto es que muchas historias de este tipo forman parte del mito y la leyenda de La Lupe.

Maisonave concuerda con la opinión de Víctor Gallo: En esos días muchos artistas eran *santeros*. Estaba de moda dedicarse a ese culto. Ser *santero* confería una buena posición dentro de la hermandad artística y en la comunidad en general.

Tito Puente, por ejemplo, pertenecía al culto, así como muchos de los músicos de Típica 73[141]. El problema con Lupe es que no era capaz ni quería cambiar al ritmo de los tiempos[142].

En otra ocasión, como recuerda su hija Rainbow, Mi madre traía a Nueva York un cachorro de tigre que había comprado en Panamá. Después de mucho discutir con el personal de la aerolínea y de pagar un grueso recargo le permitieron subir el tigrillo a bordo. Sin embargo, apenas ella se sentó en la cabina de pasajeros empezó a tirar los

---

140 Entrevista a Héctor Maisonave, 17 de julio de 2002.

141 Cuando Ray Barreto decidió pasarse al campo del jazz en 1973, los miembros de su orquesta conformaron la Típica 73, una de las orquestas más populares de la década de los setenta.

142 Entrevista a Héctor Maisonave, 15 de mayo de 202.

caracoles. No pasó mucho tiempo antes de que el capitán del vuelo exigiera que ella y el tigrillo abandonaran el avión, no importaba que fuera la mismísima *reina de Inglaterra*[143].

Abundan las historias como esa. Algunas reflejan el increíble sentido del humor de La Lupe, quien no tenía inconveniente en reírse de sí misma. Otras son ejemplos patentes del mito, de la leyenda de La Lupe; y otras, sin duda, prueban la tremenda tristeza que consumía su alma.

Su dedicación total al culto también fue motivo de que algunos trataran de jugarle bromas de muy mal gusto.

Ciertas personas del mundo de la música no trataban a Lupe con el respeto que se merecía. Mujer en un territorio masculino, tuvo que soportar el irrespeto de algunas personas celosas de su éxito y que no comprendían su devoción espiritual

Vi cómo le ponían vasos de agua en el camino que recorría hasta el escenario, sólo por fastidiarla, haciéndole pensar que le estaban haciendo mal de ojos[144]. Otras personas arrojaban tachuelas al escenario a sabiendas de que se iba a presentar descalza. Esas fueron personas muy mezquinas con ella, pero ella era muy humilde y se aguantaba, a pesar de los intentos de todos los que querían verla fracasar.

En su casa la situación era igual. La gente le dejaba trabajos[145] en la puerta, lo que perturbaba a Lupe tremendamente. Se orinaba en ellos para quitarles el hechizo[146].

---

143 Entrevista a Rainbow García, 14 de junio de 2002.

144 Itálicas añadidas para explicación.

145 Un trabajo es un hechizo que te arrojan para hacerte daño. Se cree que son hechos por santeros poderosos y su propósito es causarle daño a la persona o hacer que haga algo en contra de sus deseos o buen juicio.

146 Entrevista a Johnny Surita, agosto de 2002.

Una cosa es clara: durante su permanencia a la *santería* muchos *santeros* se aprovecharon de Lupe bajo el pretexto de la sanación espiritual. Sus guías, así como toda una corte de charlatanes, se aprovecharon de su ingenuidad y de su posición económica, y bajo el manto del misticismo utilizaron a La Lupe para tomar ventaja personal, muchas veces engañándola.

En la mansión de Lupe los santeros hacían fiestas donde corrían ríos de champaña y manjares. Las hacían incluso cuando ella estaba de viaje. Veían realmente en ella una fuente inextinguible de dinero, y algunas de esas personas no tomaban realmente en serio ni a Lupe ni a su religión[147].

Su comportamiento dentro de la Santería dejó algunas incógnitas. Los Santeros no pasan muertos, como se dice en el argot de la religión, y el comportamiento de Lupe daba a entender qué entidades poseían su cuerpo lo cual indica el comportamiento de un espiritista. ¿Santera o Espiritista? Sin lugar a dudas, en su sendero espiritual en aquel entonces, reinó la confusión.

---

147 Ibíd.

Yemayá (Iemanjá), diosa de las aguas y los mares.

Capítulo V

Sabor a miel

¡Cielos, que diamantes tan bellos!
El cielo no tuvo nada que ver en esto, amor!

Mae West, 1932

Durante la mayor parte de su vida profesional Lupe Yolí disfrutó de un éxito incomparable. En la historia de la música latina pocos artistas tuvieron una racha de esa magnitud, que sumó un triunfo tras otro casi desde el comienzo.

En 1966 Lupe estaba en plena gloria luego de la producción de The King Swings, The Incredible Lupe Sings, con el éxito que batió todas las marcas, *Qué te pedí*.

El viernes 20 de mayo de 1966 La Lupe se presentó por primera vez en el Carnegie Hall durante el Segundo Festival Cubano. El concierto incluía algunas de las mejores estrellas cubanas del momento, entre ellos Miguelito Valdés, Fernando Albuerne, Lilia Lazo, Otto Sirgo, Nico Membiela, Rolando Ochoa, Celia Cruz y La Sonora Matancera, Belisario López y su Orquesta, La Orquesta Broadway, Rosa Elena Miró, Pepa Berrío, Alicia Santos, Sirelda, Bobby Manrique, Los Doménech, Yayo el Indio, Baserva Soler y su Combo, Nilo Tandrón y su Show Afro Tamboo, Héctor del Villar, Carlos Rodríguez, Machito y Graciela y, desde luego, La Lupe con la Orquesta de Tito Puente[148].

En esa noche en particular La Lupe y Puente eran el quinto número del programa. De allí en adelante La Lupe siempre ocuparía el primer lugar en cartelera.

Esa noche en el Carnegie Hall fue decisiva para la carrera de Lupe. Fue su primera escalada a la cúpula del espectáculo, y su presentación con la orquesta de Tito Puente afianzó su nombre en el mercado neoyorkino.

---

148 Aunque Puente no era cubano sino puertorriqueño, su orquesta era invitada usual a los eventos cubanos por su afinidad con los ritmos tradicionales cubanos.

Recién venida del tremendo éxito de *Qué te pedí*, Lupe captaba rápidamente la atención del mercado más sólido del país; y pronto el resto del mundo estaría también prestando oído.

Antes de una presentación Lupe Yolí era como un purasangre antes de la carrera. Los músculos se le encogían por la ansiedad de comenzar y era un nudo de nervios antes del show.

Su preparación era muy simple recuerda Mercedita, fiel compañera y su ayuda de cámara personal. Lupe tomaba agua e invocaba el espíritu de Carmen Anaya, una cantante de flamenco fallecida. Yo le arreglaba el pelo y los ojos, poniendo cuidado especial en las pestañas. Las pestañas eran muy importantes y se habían convertido en su distintivo. No era una mujer tremendamente bella, pero cuando subía a escena quería lucir linda para todos sus seguidores.

La poderosa presencia escénica de la Reina de la Canción Latina se conserva en esta fotografía, ca.1970.

A medida que se aproximaba la hora de la presentación, a Lupe le empezaba a picar, literalmente, por salir a escena. Todo le molestaba. Se quitaba los zapatos y cuando ya estaba en el escenario se quitaba las pestañas, las pelucas y hasta parte de las joyas. Ella era muy intensa y no fingía nada, no sabía por qué hacía algunas de las cosas que hacía. Sus presentaciones tenían tanto de espirituales como de artísticas[149].

Para La Lupe no había nada mejor que la adulación de sus admiradores. Los gritos, la emoción, la energía: no había estimulante más potente, y nada le costaba compenetrarse con la euforia que generaban sus salidas. Vivía para el dopaje que le inyectaban sus fanáticos. Esa era su droga[150].

Entre mediados de la década de los años cincuenta y mediados de la de los sesenta, Lupe Yolí experimentó una transformación increíble. La Lupe cobró plena realidad… y la maestra de San Pedrito triunfó de una manera que superaba sus sueños más descabellados.

Después de su presentación en Carnegie Hall, La Lupe se convirtió en una de las artistas más taquilleras de la historia de la música latina.

Estaba en pleno furor, y lo sabía. Sus discos se vendían a una velocidad asombrosa y Lupe había subido al séptimo cielo. La carismática artista se sentía sintonizada con su público, un sentimiento que aprendió a disfrutar como un afrodisíaco, un sentimiento que la apremiaba a ser La Lupe tanto en el escenario como fuera de él.

Paco Navarro, un famoso locutor y maestro de ceremonias de Nueva York, ha presentado muchos de los eventos musicales del Madison Square Garden y presentó a La Lupe en muchas ocasiones. Según palabras suyas, La Lupe era un talento asombroso. Tenía una increíble

---

149 Mercedita fue la peinadora de la Lupe y su secretaria privada hasta 1976.

150 Entrevista a Johnny Surita, 19 de julio de 2002

habilidad para enloque-
cer al público. También
se alimentaba de la ener-
gía que el público genera-
ba. Era una interacción
interesante: cuando subía
al escenario y la gente
empezaba a gritar, era como si La Lupe misma en-
trara en un estado total
de pasión y abandono[151].

Una serie de contratos para presentaciones llevó a Lupe a España,
Centro y Suramérica, además de Puerto Rico, donde era muy querida,
y se presentaba en igualdad de condiciones junto a las más grandes
atracciones, como por ejemplo Diana Ross y The Temptations[152].

Recuerdo ver su nombre en luces a la entrada del salón El Coco
del Hotel Flamboyán. Muy vistoso, porque ella todas las veces recibía
en Puerto Rico tratamiento de alfombra roja[153].

En Nueva York, Lupe también hacía dos y a veces tres presentaciones diarias en el teatro Puerto Rico del Bronx[154].

Mi madre tuvo una temporada muy larga y exitosa en el Puerto
Rico. Recuerdo que entre funciones presentaban la película Carrie. Era
una película de horror y la vi por lo menos 17 veces mientras duró el

---

151 Entrevista, 22 de diciembre de 2002.

152 La Lupe aparecía frecuentemente en el hotel Flamboyán de Puerto Rico. Sucedía a las tem-
poradas de los principales artistas del continente norteamericano, llenando salas todo el
tiempo.

153 Entrevista a Johnny Surita, 22 de julio de 2002.

154 El teatro Puerto Rico era el sitio donde se presentaban todos los grandes espectáculos en
español.

compromiso. Puede ser la única vez que una película de horror haya sido la niñera oficial de una criatura[155].

A veces hacía hasta tres espectáculos en una noche recuerda Richie Bonilla. Se presentaba en el teatro Puerto Rico del Bronx, después iba al teatro Delancey en Manhattan y volvía para otro show en el Puerto Rico. Fue una época increíble[156].

La Lupe trabajaba y el dinero venía de todos lados.

Lupe también gastaba sus ganancias a pasos redoblados. Ella era muy generosa y tenía hábitos de derroche compulsivo.

Mi madre era la clase de persona que se ganaba 20,000 dólares en un show y se gastaba igualmente 15,000 en vestidos para la próxima presentación. Obraba como si el dinero nunca fuera a dejar de llegar[157].

En el escenario o el estudio de grabación, la mujer que llamaban la Yiyiyi se entregaba por completo.

---

155 Entrevista a René Camaño, 14 de junio de 2002.

156 Entrevista a Richie Bonilla, 5 de septiembre de 2002.

157 Entrevista a Rainbow García, julio 17 de 2002.

Ella era ciertamente muy generosa dice Antonia Rey. Vivía quejándose de que ya no íbamos más a sus conciertos. En esa época ya no nos atraían las grandes multitudes y preferíamos la intimidad de los clubes pequeños. Lupe lo sabía, y cuando firmó un contrato para cantar en un hotel de Puerto Rico nos envió boletas de avión a mi marido y yo, con todos los gastos pagados, para ir a verla cantar en San Juan[158].

Con el apoyo de Tito Puente, La Lupe se había convertido en un artículo musical de un altísimo grado de mercadeo.

Su unión revolucionó el ambiente musical. En su acto se prolongaba de algún modo la tradición musical cubana, pero con Lupe uno también podía sentir el otro elemento, el de los marginales, las gentes de los barrios, el sonido que estaba de moda. Ella se sumergía totalmente en ellos, y ellos en ella[159].

En 1966 Lupe pasó a realizar otra producción con Tito Puente, Homenaje a Rafael Hernández[160], que tuvo un enorme éxito. La Lupe y Puente grabaron para este disco Buche y pluma nama, Los Carreteros, Esas no son de allí, Jugando, Mamá, Jugando y otras que incluían un hermoso popurrí centra-

---

158 Entrevista a Antonia Rey, 18 de septiembre de 2002.

159 César Miguel Rondón, *Salsa*, págs. 29-51

160 Hernández, conocido como el Vibrato, fue el más grande compositor de la historia de Puerto Rico. Sus canciones fueron éxitos en toda la Norteamérica latina. Su canción *Quisqueya* es algo así como el himno nacional de República Dominicana. La canción *Lamento Borincano* describe la situación de un jíbaro puertorriqueño de los años treinta. Hernández murió en 1965.

do en Preciosa y El cumbanchero. El disco recogía, en el año de su muerte, la música del más grande compositor de la historia de Puerto Rico y acaso del Caribe. El álbum fue todo un éxito en Puerto Rico y ayudó a entronizar a La Lupe en calidad de hija adoptiva de la isla.

El 25 de abril de 1966 salió al mercado *La Lupe y su Alma Venezolana*, la primera producción hecha exclusivamente por Lupe Yolí. En el disco La Lupe, acompañada por Ramón Brito y su *Conjunto*, mostró su versatilidad cantando en forma impecable una serie de *joropos*[161]. El álbum tuvo éxito y presentaba una nueva faceta de la floreciente estrella.

El disco de larga duración incluía 12 temas, entre los que se destaca La flor de la canela, un vals que ha llegado a constituirse en poco menos que el himno nacional del Perú.

A lo largo de su vida profesional Lupe logró integrar su estilo único con los temas tradicionales de los países que visitaba. Cantó airosamente en la República Dominicana y Puerto Rico, en Cuba y España, así como en Venezuela, Perú y México.

Además de *La Flor de la Canela*, en esta popular producción sonora Lupe interpreta *Canto a Caracas*, un homenaje a la capital de Venezuela.

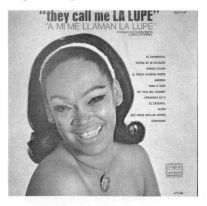

Su aptitud para cantar con desenvolvimiento los más queridos temas musicales de diversos países fue un importante activo en su carrera. En consecuencia, ganó una estatura, que rayaba en la adoración en la mayoría de los países hispanohablantes.

---

161   Género musical típico de Venezuela.

El 26 de agosto de 1966 La Lupe sacó al mercado una segunda grabación independiente: *A mí me llaman La Lupe*, acompañada esta vez por una orquesta big band dirigida por el maestro cubano Arturo Chico OFarrill, quien hizo además todos los arreglos. Al Santiago, uno de los principales productores de ese entonces, fue el encargado de la producción del disco.

Aquí Lupe mostró nuevamente su habilidad para cantar en inglés al ritmo de Take it Easy, a la vez que grababa dos de sus más sonados hits, *El Carbonero* y *Soy hijo de Siboney*, así como una interesante versión, a ritmo de *merengue*, del popular éxito del momento *Dominique*.

La Lupe siguió luego con otra producción bajo el ojo atento de Tito Puente, en el año de 1967. Ascendió a los listados con El Rey y Yo, una producción del cubano Pancho Cristal. A esas alturas, sin embargo, ambos artistas necesitaban un receso, pues estaban viajando extensamente y sus carreras enfilaban en direcciones diferentes. Esta grabación fue la última del contrato que habían firmado con Tico Records en 1964 y ambos decidieron que por el momento no iba a haber más.

Mucho se ha especulado sobre la relación personal y profesional entre estas dos mega-estrellas de la industria musical latina.

Aunque es verdad que Lupe no era la persona más fácil de lidiar en un estudio de grabación, Puente y La Lupe nunca tuvieron pleitos pendientes que dieran de qué hablar. En cierto punto decidieron aprovechar las oportunidades que el mercado les ofrecía, y eso fue lo que hicieron1[62].

De hecho, Puente apreciaba mucho a La Lupe, no sólo por su talento sino también por sus cualidades personales.

Lupe era una persona sencilla, algo ingenua sobre algunas cosas, y Tito siempre le reservó un lugar especial en su corazón. No tuvieron

---

[162] Entrevista a Joe Conzo, 1 de septiembre de 2002.

nunca nada personal, pero Puente siempre se preocupó mucho por la situación de Lupe. Eran verdaderos amigos fieles[163].

La separación terminó dándose. Puente continuó la ruta de sus múltiples intereses, en una larga carrera que lo llevó a realizar al menos 130 producciones discográficas, mientras que La Lupe se mantuvo explorando su interrelación con su fanaticada, que ya colmaban todas las salas donde se presentaba. Sabía que ya estaba lista y no necesitaba más *al Rey*. Ella era *la Reina*, y eso era lo único que importaba.

La montaña rusa en que se había convertido la vida de Lupe Yolí siguió rodando, a veces suavemente y otras con fuerza atronadora, en pos de sus muchas oportunidades de negocios. Lupe abandonó al fin el sabio tutelaje de Tito Puente y conformó su propia orquesta, dirigida por su marido, Willie García.

Si bien era un cantante diestro y un aceptable percusionista, era obvio que García no estaba en el mismo nivel que *el Rey de la Música Latina*; y aunque esto se podía ver tanto en el lado musical como en el administrativo, parecía como si a los fanáticos de La Lupe no les importara. Acudían en tropel a ver a *la Reina* en acción; y ella nunca los defraudaba.

A medida que crecía su popularidad, Lupe ganó por votación el título de *Reina de la Canción Latina* a finales de 1967. *la Reina* rápidamente asumió la condición de realeza.

El 23 de febrero de 1968 La Lupe grabó otro disco en donde aceptaba abiertamente la denominación de *Reina de la Canción Latina*.

En la contracubierta la mano de Lupe, colmada de un muestrario de sus famosas alhajas, aparece firmando una nota dirigida a sus seguidores, agradeciéndoles el haberla nombrado *Reina de la Canción Latina*.

---

163 Ibíd.

La grabación se llamaba apropiadamente *La Lupe, Reina de la Canción Latina*. Los arreglos y dirección eran de Héctor de León e incluía tres gigantescos éxitos: *La tirana*, de Tite Curet Alonso, *Amor gitano*, de John Davenport y una nueva versión de Fever hecha por Eddie Cooley.

Con el tema *Fever* La Lupe regresaba a sus raíces cubanas, a un tema que había causado sensación a comienzos de la década en La Habana.

Esta vez La Lupe fue un bombazo sensual, y su interpretación de *Fever* en el *Tonight Show*[164] *de Johnny Carson* por la red nacional de televisión NBC dejó sin aliento a toda Norteamérica, que se preguntaba ¿quién es el dinamo al que llamaban La Lupe? Casi de un día para otro La Lupe se convirtió en la sensación de la industria del entretenimiento.

Lupe era ahora un portento nacional. *Fever* sonaba en las estaciones de radio anglo y en las discotecas, mientras que *La tirana* era un enorme éxito en la radio latina. La Lupe disfrutaba lo mejor de ambos mundos.

Con *La Tirana* Lupe grabó otro de sus grandes temas de todos los tiempos, una canción que el compositor Tite Curet Alonso[165] había escrito para el intérprete Roberto Ledesma, estrella de primera plana en

---

164 En la obra de teatro *La Lupe: mi vida, mi destino*, escrita por Carmen Rivera y producida por el Teatro Rodante Puertorriqueño de Miriam Colón, se presenta como si esta interpretación de Fever hubiera sido en el Show de Dick Cavet. Aunque La Lupe apareció varias veces en ambos programas de televisión, la hoy famosa presentación tuvo lugar en el programa de Carson en la NBC.

165 Curet Alonso es uno de los grandes compositores de la historia de la música popular. Con más de 3 000 títulos, Curet Alonso ha demostrado ser extremadamente prolífico. Cartero de profesión, Tite es llamado el compositor más grande de la historia del Servicio Postal de Estados Unidos. Actualmente escribe una columna de farándula en su nativo Puerto Rico.

ese entonces, quien la rechazó. Curet Alonso la reformó más tarde para adaptarla al estilo de La Lupe y ésta la convirtió en otro gigantesco éxito.[166]

Ese mismo año, el 22 de agosto, La Lupe lanzó un disco más en concordancia con los tiempos. Haciendo un guiño al enorme éxito de *The Age of Aquarius*, de Los Fifth Dimension, Lupe produjo *La era de La Lupe*.

Una vez más, empleando la combinación de Héctor de León como arreglista y director y de la sapiencia musical de Pancho Cristal como productor, el disco se paseó por la era del bugalú con una buena mezcla de temas musicales. Boleros como *Carcajada final* de Curet Alonso y raudos bugalús como *Jala Jala* de Ismael Rivera y la muy popular *Guantanamera a la Virgen de la Guadalupe*, una canción de Martí y Espigul a la que ella adaptó una letra de su propia autoría, hicieron de este un disco especial.

Éxito de taquilla en el Madison Square Garden

El 19 de febrero de 1969 La Lupe vio cumplido el sueño que más había anhelado cuando comenzaba a colocar las bases de su carrera musical. Esa noche agotó las ventas de boletos en el Madison Square Garden, como la primera latina que figuraba en cartelera principal en el mundialmente famoso coliseo.

---

166 El periodista Jaime Torres de El Nuevo Día de Puerto Rico entrevistó a Ledesma. El cantante dijo: Tuve la canción en mis manos y no hice nada con ella.

Esa noche ella estuvo magnífica y los fanáticos enloquecieron por completo. Había que ver eso[167].

En este concierto Lupe brilló junto con el siempre grande Tito Rodríguez y con El Gran Combo, quizás la más popular orquesta latina de todos los tiempos.

Como era tradición con Rodríguez, se presentó una discusión sobre quién debía encabezar la cartelera. Se decidió que Rodríguez, por poseer la estatura y la magnitud para ello y ser considerado tal vez el mejor cantante romántico latino de todos los tiempos, cerrara el concierto.

No hay duda de que esa noche el público acudió a ver a La Lupe. Su presentación fue magnífica y al terminar recibió una ovación de pie que debió durar por lo menos quince minutos. Debe haber sido muy duro para Tito salir enseguida de esa presentación[168].

Al mes siguiente, el 26 de marzo, Lupe probó con una combinación diferente para un nuevo disco. Los resultados fueron parecidos: otro gran éxito, y *La Lupe es la Reina*, con el tema *Puro Teatro*, de inspiración de Tite Curet Alonso, escaló los listados una vez más. En este disco, los arreglos y la dirección de la orquesta se dividieron entre dos de los mejores de la historia musical latina: Joe Cain y el pianista Héctor Rivera.

Unos meses después, el 14 de junio de 1969, Lupe repitió la hazaña, esta vez en el Carnegie Hall.

Acompañada por la Orquesta de Pete Bonet, Lupe realizó otra gran presentación. El director musical fue su marido Willie García. Los productores del espectáculo fueron Joseph y Brenda Straton y los presentadores fueron las famosos disc-jockeys Symphony Sid, Dick Ricardo Sugar y Frankie Crocker.

---

167 Entrevista a Johnny Surita, 17 de julio de 2002.

168 Ibíd.

Para entonces Lupe había recibido cinco discos de oro y había tomado un rumbo independiente. Se ocupaba de manejar su propia carrera y no permitía que nadie le dictara el camino. Aunque tenía como
representante oficial a su marido Willie García, la realidad es que ella
se dirigía sola. Cuando nombraba a García director musical, simplemente le estaba buscando un puesto en la producción. García nunca,
ni en un millón de años, hubiera podido reemplazar la habilidad y el
sentido musical de Puente[169].

169 Entrevista a Héctor Maisonave, 22 de junio de 2002.

Fue por esos tiempos cuando Lupe y Willie empezaron a tener desacuerdos sobre la forma como ella debía adelantar su profesión. Willie trataba de guiar a Lupe en cierta dirección, pero tratar siquiera de dirigir a *la Reina* era imposible. Ella sabía muy bien qué quería y cómo alcanzarlo.

Los vi pelearse, pero casi siempre por cuestiones de negocios, en los que él quería que mi madre hiciera las cosas de cierto modo y ella se negaba a cambiar de proceder. Ella lo dejaba ser su representante, pero en realidad nadie la manejaba a ella. Sólo había una manera de hacer las cosas: a la manera de Lupe[170]. La Yiyiyi[171] tenía controlado el mercado de Nueva York; y aunque sus presentaciones no exhibían toda la potencia musical que anteriormente le brindaba el acompañamiento de la Orquesta de Tito Puente, ella era todo un fenómeno y el futuro se veía próspero y despejado.

Frankie Crocker, disc-jockey de la estación WBLS-NY y la figura más popular de la radio de su tiempo, presentó a La Lupe en el Carnegie Hall.

170 Entrevista a René Camaño, junio 22 de 2002.

171 Grito de guerra de Lupe.

Presentación de La Lupe en el Central Park de Nueva York.

La estrella de Lupe seguía en ascenso. Era invitada frecuente del Show de Johnny Carson y del Show de Merv Griffith y asimismo aparecía con regularidad en el Show de Dick Cavet, el Show de David Frost y muchos especiales de televisión, incluyendo el Teletón de Jerry Lewis, en el que participaba todos los años y desplegaba sus talentos inigualables ante las masas de toda la nación norteamericana.

En la televisión en lengua española Lupe aparecía constantemente en Suramérica, España, México, la República Dominicana, Puerto Rico, Chicago, Los Ángeles, Miami y Nueva York .

La Lupe era infaltable en el Show de Año Nuevo del Canal 47 de Nueva York. Este programa era tan importante para Lupe como ningún otro, ya que, aunque no le pagaban, representaba una oportunidad de compartir un rato con sus fervientes admiradores en la Gran Manzana.

En cierta ocasión, ella se dirigía en auto con sus hijos, René y Rainbow, a uno de esos programas. El carro salió girando bruscamente cuando un neumático estalló en plena autopista. Por fortuna nadie salió herido. Cuando una grúa de remolque vino a recogerlos, Lupe se hizo llevar hasta el estudio de televisión. Ni siquiera una azarosa experiencia como esa le impedía presentarse. Ella jamás se hubiera permitido desilusionar a sus seguidores. De muchas formas, había llegado el momento de *La Yiyiyi*.

La Yiyiyi en acción.

Ay Yiyiyi...

El 14 de octubre de 1969 La Lupe estrenó un nuevo disco: *Definitivamente, La Yiyiyi*.

Para esta grabación Lupe recurrió otra vez a Héctor de León como arreglista y director, y, al menos en lo musical, el estilo del disco trataba de imitar el sonido de Tito Puente.

En esta producción La Lupe ejecutaba una serie de temas en su estilo sin par, pero la reacción del público no fue la misma. Este fue el

primer álbum donde Willie García, su marido, fue presentado oficial-
mente. García aparecía como coproductor al lado de Lupe Yolí, productora del disco.

De este disco salió una canción que para algunos de sus seguidores ha adquirido estatus de culto: *La Virgen lloraba*. Este fue el tema
utilizado para el final de la película *La jaula de las locas*, con Robin Wi-
lliams, Calista Flockhart, Nathan Lane y Gene Hackman entre otros[172].

La película se desarrolla en las penumbras de un club travesti donde algunas de las drag-queens imitaban a La Lupe.

Durante su apogeo, Lupe se granjeó una tremenda popularidad
entre los travestís, aunque, al menos al principio, no le gustaba que la
imitaran.

Más adelante en su carrera reconoció que los imitadores le rendían
homenaje y aprendió a disfrutar los remedos que otros hacían de ella.

Uno de esos imitadores fue Hiram Velázquez, un cantante del pueblo de Las Piedras, en Puerto Rico, conocido como El Lupo. Velázquez
era realmente bueno y grabó un disco con el respaldo musical de la Orquesta de Tito Puente.

Otro imitador, conocido como
el Yiyiyo, captó también cierto grado de atención con el transurso del
tiempo.

*Hiram Velásquez, conocido como
El Lupo, fue el más famoso imitador
de La Lupe. En este disco Lupo el
fantástico está acompañado por la
Orquesta de Tito Puente.*

172 Es interesante anotar que los derechos que reciben los herederos de La Lupe por la presentación durante 17 segundos de su canción en la película son considerablemente mayores que lo que han recibido del sello disquero por los millones de copias vendidas a lo
largo de los años.

En *Definitivamente, La Yiyiyi* Lupe incluyó su muy inspirada versión propia de *Quisqueya,* una canción del compositor puertorriqueño Rafael Hernández que se considera el segundo himno nacional de la República Dominicana.

En el disco, Lupe interpreta un tema, *Saraycoco,* en el que manifiesta abiertamente su devoción a las deidades africanas. La composición, un *bembé*[173] tradicional o, como se describe en la tapa del álbum, un *bugalú africano,* cerraba el disco y señalaba un desvío significativo del anterior estilo exitoso de Lupe.

Lupe había cantado *bembés* con anterioridad, pero estos estaban inteligentemente colocados en el final de sus producciones con Tito Puente. Los bembés han sido por tradición temas musicales con los que se rinde tributo a las deidades africanas. Como tales, estos ritmos no han gozado de una aceptación muy amplia por parte del grueso de la comunidad, y de hecho son algo así como un enfriamiento para la mayoría de los aficionados a la música, especialmente para los que no comparten los ritos de los *santeros.*

Con todo, al disco, con las tradicionales *Bomba, A Borinquen* y *Quisqueya,* le fue bastante bien, aunque no alcanzó los promedios de ventas a los que La Lupe estaba acostumbrada.

El 5 de mayo de 1970, Lupe Yolí apareció en el mercado con una nueva producción, *That Genius Called the Queen.* Por el contenido de ésta, todo parecía indicar que La Lupe había aprendido una lección de su intento anterior, pues esta vez dejó la producción a cargo de Freddy Weinberg y Miguel Estivíl y retornó a Joe Cain como arreglista y director. Willie García aparece como coordinador en la grabación.

---

173 Rito musical tradicional afrocubano en el que los tambores se utilizan para rendir homenaje a los espíritus.

Lupe volvía a cerrar el disco con una dedicación a las divinidades africanas, *Moforivale*, un bembé compuesto por ella misma. Siendo un canto a los santos, el tema dejaba muy en claro hacia dónde se orientaba Lupe en ese momento.

De manera muy apta el disco comenzaba con su versión de *My*

Way (*Como acostumbro*) de Paul Anka, otro mega-éxito.

En ese momento era evidente que la religión ejercía una fuerte influencia en su música. Lupe ahora andaba vestida siempre de blanco y a todas horas llevaba los *santos* consigo, tanto visual como espiritualmente.

Las canciones de *That Genius Called the Queen* retratan una Lupe que más tiene de predicadora que de la sensual estrella de *Qué te Pedí*, *La Tirana* y *Puro Teatro*. Ahora cantaba sin tapujos a los seres espirituales y a sus creencias religiosas, práctica que no cayó bien a su legión de admiradores.

En los tiempos de Tito Puente, Lupe había cantado algunos *bembés*, pero no se notaban tanto como en los discos de épocas posteriores. Tal vez no era lo mismo trabajar con los arreglos magistrales de Puente, específicamente cuando se tiene una racha de éxitos sin precedentes en la radio.

Aunque La Lupe poseía un talento de innegable estatura mundial, Tito Puente producía un efecto tremendo en el desempeño artístico de la artista. Él era capaz de potenciar al máximo las increíbles dotes de Lupe.

Ahora Lupe estaba sola; y no cabe duda de que, si bien sus habilidades seguían intactas, por lo menos al comienzo de su nueva etapa bajo la tutela de Willie García, la música no era ya tan infalible.

Me había dicho muy claro que a ella no le gustaba cantar esa clase de música (*bembés*). Lo hacía por darle gusto a Willie, y él a su turno quería complacer a los santos[174].

Escuchar este álbum resultaba un poco perturbador, tal vez porque era un reflejo del estado mental de Lupe de ese entonces. Sólo era cuestión de tiempo antes de que la industria y en particular sus seguidores se hicieran sentir en las ventas de sus discos. La querida *Yiyiyi*, idolatrada por millones, no se veía por ningún lado; en lo que toca a esta grabación, La Lupe se había extraviado. Las malas ventas de *That Genius Called the Queen* reflejaban el rechazo del público al nuevo estilo de La Lupe, pero no había modo de hacerla cambiar de opinión.

En el siguiente disco de Lupe, lanzado el 25 de febrero de 1971 bajo el título de *La Lupe en Madrid*, Lupe grabó *A la Caridad del Cobre* de Celina y Reutilio[175], otra alabanza cubana, esta vez cantada a la santa patrona de Cuba.

Aquí grabó también una hermosa balada titulada *El malo*, escrita por Ramón Marrero, y otra no tan bella, *Se me hace la boca agua*, escrita por Willie García.

Lupe puso sus dotes increíbles al servicio de la balada de su esposo y consiguió que una composición poco inspirada sonara bastante bien en su estilo incomparable.

---

174 Entrevista a Johnny Surita, 14 de agosto de 2002.

175 Un dueto cubano muy famoso. Celina González, nacida en Jovellanos, Cuba, en 1929, trabajó en dúo con Reutilio desde 1947. Dejaron de trabajar juntos en 1964 y él murió en 1971. Ella siguió presentándose en la televisión cubana.

Me vas a recordar, una balada del compositor mexicano Armando Manzanero, y un mambo, *Ingrato Corazón*, son las piezas principales de este trabajo.

El resto del álbum era bastante soso. Parecía que la potencia discográfica de Lupe se estuviera diluyendo lentamente. En términos generales este era el peor trabajo de toda la brillante trayectoria de Lupe.

Por esas fechas su relación con Willie García se deterioraba también rápidamente, tal vez como reflejo del rumbo que tomaba su carrera.

Willie, que era un individuo inteligente y talentoso, había comenzado a tener episodios de esquizofrenia.

El músico Andy González, quien tocó con La Lupe y grabó con García, recuerda: Una mañana Willie golpeó en mi ventana a las cinco de la madrugada. Cuando entró no paraba de hablar, pero nada de lo que decía tenía sentido. Él era un tipo muy agradable y sumamente talentoso, pero en ese tiempo estaba enfermo[176].

Míster Salsa, Izzy Sanabria, también tuvo sus experiencias con García.

Me lo encontré por casualidad en la calle y nos pusimos a charlar. Me dijo que estaba promoviendo un disco y fuimos por él hasta su automóvil. Cuando llegamos allá se dio cuenta que el auto se había quedado cerrado con seguro y las llaves estaban adentro. Acto seguido

---

176 Andy González es un bajista de primera. Nacido en el Bronx de padres puertorriqueños, Andy ha estado con su hermano Jerry a la vanguardia del jazz latino desde mediados de los años setenta. Es miembro fundador de Libre.

agarró un ladrillo, rompió la ventanilla, me sacó el disco y siguió hablando como si nada hubiera pasado[177]

Los muchos rostros de la Reina de la Canción Latina.

Un éxito de taquilla cura todos los males

El sábado 17 de septiembre de 1971, en un concierto presentado por Herbert S. Cannon y producido por Robert Hodes y Michael Post, todo cambió cuando La Lupe volvió a agotar la boletería en el Carnegie Hall. Esa noche fue otro importante hito en su trayectoria artística.

El éxito de ese concierto es un ejemplo perfecto de la insólita habilidad de Lupe para vender sus presentaciones en vivo. Inclusive en una época en que las ventas de sus discos iban mal, ella fue capaz de atestar una sala prestigiosa como el Carnegie Hall.

177 Entrevista a Izzy Sanabria, agosto de 2002.

Aunque Lupe daba la impresión de tener un control absoluto sobre su vida, al menos en términos musicales, su vida diaria comenzaba
a mostrar los efectos de los viajes constantes, el declive de su vida matrimonial y el incesante control que la *santería* ejercía sobre su existencia[178].

A pesar de todo el éxito comercial que La Lupe disfrutaba en sus
múltiples presentaciones, había muchas cosas que no estaban saliendo
bien.

Lupe estaba descontrolada hasta el desespero en esos días. Todo lo
que hacía se lo tenía que consultar a los santos. Su esposo empezaba a
mostrar síntomas de que algo andaba mal en términos psicológicos[179].
La diva estaba cargaba con un gran peso sobre sus espaldas[180].

Lupe no sólo era la fuente de ingresos en la familia y de muchos
de sus allegados, la irascible cantante también tenía sus responsabilida-
des como artista y, más importante aún, como madre.

En su testimonio Lupe manifestó que la salud mental de Willie
García empezaba a derrumbarse. Además, había muchas discusiones
en la casa, algunas de ellas relativas al tema de la infidelidad.

Durante un tiempo Willie había estado frecuentando asiduamen-
te los lugares nocturnos, quedándose hasta tarde y a veces sin siquiera
regresar a casa. En ocasiones García, un joven alto y fornido, mostraba tendencias violentas y se ponía en plan de armar camorra. En cierta oportunidad llegó a exhibir sus partes íntimas mientras cantaba en
público.

Willie García era todo un mujeriego, y el hecho de que fuera el
marido de La Lupe, en vez de amilanar a las mujeres, parecía atraerlas

---

178 Ibíd.

179 A Willie García después se le diagnosticó esquizofrenia.

180 Entrevista a Antonia Rey, 16 de junio de 2002.

a él todavía más[181]. La notoriedad que le daba el estar casado con La Lupe, sumada su enfermedad mental, y el supuesto uso de cocaína, producían una combinación fatal. Él era una presa fácil para las mujeres, y la infelicidad que sentía por el rumbo que había tomado su carrera lo frustraba cada vez más y más.

En su testimonio La Lupe afirma: Alrededor de 1971 mi esposo, que era un hombre muy bueno, empezó a portarse mal. Se enloqueció y tuvimos que internarlo. Tuve que pagar enormes sumas de dinero por su hospitalización[182].

En 1972, tras ocho años de matrimonio, Lupe y Willie se separaron. En ese año Lupe lanzó un disco excelente, *Stop, Im Free Again*. En este álbum La Lupe utilizaba arreglos de Luis Cruz, Sonny Bravo, Louie Ramírez y Joe Cain. Con un sonido fresco, *Stop, Im Free Again* mostraba que, al menos en lo profesional, Lupe aparentaba haberse encarrilado nuevamente.

En la primera canción, *Con un nuevo amor*, Lupe le cantaba a un nuevo amor y una nueva vida, muy en consonancia con lo que estaba sucediendo en su vida privada. La canción era alegre y movida, y trataba de reflejar un cambio de humor en *la Reina* luego de su rompimiento con su marido Willie García.

Por vez primera en sus últimos tres discos Lupe no echaba mano de una canción relacionada de algún modo con la *santería*, lo que demuestra la influencia que su esposo había ejercido sobre sus grabaciones.

---

181 Entrevista A Joe Cuba, 14 de agosto de 2002.

182 Testimonio de La Lupe, 1989.

Un par de canciones de ese disco, *Tan lejos y sin embargo te quiero*, un hermoso bolero, y *Mil besos*, una balada de gran fuerza, quizás representan mejor que todas el estado afectivo de Lupe. Con estos temas Lupe le daba una serenata a su amor perdido: resultaba dolorosamente claro que su rompimiento con Willie García era más aparente que real. Aunque ahora estaban divorciados legalmente, su corazón seguía latiendo por él.

Definitivamente, Lupe seguía amando y extrañando a Willie García. Pero esta relación se había deteriorado de muchas formas. La enfermedad que a Willie le afectaba en términos físicos y mentales, había afectado muy profundamente a La Lupe, y no sólo en términos económicos. Era muy claro que dentro del corazón de Lupe había un mar de potentes emociones batiéndose en distintas direcciones, y que la estaban desgarrando en lo más profundo de su ser. El caos y la confusión reinaban en el corazón de *La Reina*.

Más que nunca, Lupe Yolí precisaba de guía y, más que nunca, se iba quedando sola.

Lupe siempre había necesitado un hombre a su lado: esto era parte de su temperamento. Quizás eso le confirmaba que su belleza y atractivo seguían vivos. En García, Lupe, como era su estilo, no sólo

La Lupe con una camiseta diseñada por Izzy Sanabria que dice: Divorciada y buscando.

tenía un hombre apuesto junto a ella, sino un hombre que ella amaba verdaderamente. Pese a todos los problemas que habían padecido durante su vida en común, ella lo extrañaba terriblemente.

Estar sola no era bueno para la diva, que por su parte comenzó a presentar ciertos síntomas propios. Sin la presencia de su marido La Lupe se sumergió aún más en la religión. Muchos de los adeptos al culto empezaron a ver en Lupe una especie de *mamita*, una persona generosa que los ayudaba en todas sus necesidades. Era rica, era poderosa: ¿qué eran para ella unos cuantos miles de dólares?

Los santeros siguieron aprovechándose de ella, sobre todo en lo económico, y pronto Lupe empezó a tener sus propios problemas.

Dos caballeros de Verona: un tremendo desperdicio

Dicen que cuando estás de moda, estás de moda. La Lupe era la sensación; y ahora se le había presentado otra oportunidad que le permitiría incursionar en Broadway.

La habían contratado para una obra en Broadway: Dos caballeros de Verona. De salir bien, la movida impulsaría su carrera hasta alturas sólo alcanzadas por un puñado de artistas.

No obstante, los problemas personales y el halo de *santería* que la rodeaba hacían muy difícil su progreso. Un claro ejemplo de cómo empezaba a perder las riendas se puede ver en su aparición en Dos Caballeros de Verona[183] en el teatro Saint James en 1972. La obra, protagonizada por Raúl Julia, podría haberle servido a La Lupe como un medio excelente para cruzar al lado anglo, en cuyo horizonte se avistaba la televisión nacional e incluso Hollywood.

Lupe estaba excitadísima con esta oportunidad de aparecer en Broadway. Si triunfaba, su vida artística despegaría definitivamente en el mercado anglo, abriendo un abanico de posibilidades todavía inexploradas por *la Reina de la Canción Latina*.

---

183 La obra se trasladó al teatro St. James en diciembre de 1971.

Su paso a Broadway no fue visto con buenos ojos en el ámbito musical latino; y muchos, considerándolo un rechazo de sus raíces latinas, la criticaron abiertamente. Otros se limitaban a señalar que esas críticas obedecían a celos profesionales, pero lo cierto es que el episodio le ganó a la Yiyiyi algunos enemigos dentro de la comunidad latina del espectáculo.

Nuevamente el babalawo le dice qué debe hacer

Lupe había consultado esta decisión con sus consejeros espirituales, quienes vieron en el paso a Broadway una situación positiva para la artista y le indicaron seguir un ritual que le garantizara el triunfo.

Lupe consultó con sus *padrinos*[184] recuerda Johnny Surita[185], y ellos le aconsejaron que llevara una *piedra de rayo*[186] en sus salidas a escena.

La inimitable La Lupe en uno de sus gestos característicos. Era todo un dinamo tanto en escena como fuera de ella.

---

184 Consejeros espirituales.

185 Surita es un pastor que anteriormente fue santero. Fue secretario de La Lupe y desde los 12 años viajó con ella sin parar.

186 La piedra de rayo es un coco al que le ha caído un rayo. Cuando el rayo le pega, la fuerza del impacto lo entierra en la arena. Con el tiempo vuelve a salir a la superficie como una estructura rocosa muy dura. Se dice que contiene adentro la energía del rayo, que confiere grandes poderes a quien la lleva.

Como de costumbre, Lupe siguió la recomendación y se ató *la piedra* en la cintura con cintas que representaban los colores de las Siete Potencias[187]. Durante su actuación la piedra se soltó y rompió uno de los reflectores enfrente del escenario, causando una gran explosión y mucho alboroto entre el público.

La Lupe fue despedida de la obra y acusada de brujería. Gracias a las maniobras que hizo tras bambalinas Morris Levy, la situación no llegó a convertirse un gran fiasco publicitario para *la Reina de la Canción Latina*[188].

El incidente en el teatro Saint James debería haber dado aviso a quienes rodeaban a La Lupe de que algo andaba mal. Por esos días ella exhibía patrones de comportamiento que aún sus más allegados consideraban muy extraños, por no decir estrafalarios.

En su calidad de estrella de Tico Records, a La Lupe le llovían atenciones y, desde luego, regalos y dinero. Morris Levy, presidente de las disqueras Tico y Roulette, le brindaba apoyo, siendo, como era ella, su principal fuente de ingresos.

La Lupe era la diva latina más famosa de su tiempo y quizás de todas las épocas. Contaba en su haber con algunas grabaciones sumamente exitosas, un puñado de discos de oro, una mansión con cinco automóviles, hasta cinco abrigos de visón y una jugosa cuenta bancaria que daban prueba de su muy merecida fama.

La vida, sin embargo, empezaba a tomar por una senda nunca antes recorrida por La Lupe, y por primera vez desde que salió de Cuba las cosas no le salían a la diva como lo deseaba. Su situación era caótica, pero seguía siendo una estrella de primera magnitud y una tremenda máquina de hacer dinero.

---

187 Son los colores del arco iris, del que se dice que es una combinación de los poderes de Dios.

188 Entrevista a Johnny Surita, 14 de julio de 202.

Necesitaba ayuda médica, necesitaba hacer un alto, pero no se veía venir ninguna ayuda.

Hoy en día, cuando un artista está cansado o se agota, inclusive cuando sufre una dependencia del alcohol o las drogas, todos aceptan que lo más prudente es una temporada en rehabilitación.

Por ejemplo, cuando la cantante Mariah Carey fue hospitalizada en el año 2002 por lo que se describió como agotamiento emocional, recibió del público y de sus seguidores una respuesta positiva. La gente comprendió su difícil situación y mostró una preocupación genuina por su bienestar. Mariah recibió una calurosa recepción en su regreso triunfal.

En los tiempos de Lupe ni la medicina ni los fanáticos, si a eso vamos, hubieran sido tan indulgentes. En esos días, ser hospitalizado para el tratamiento de un trastorno nervioso equivalía a gritar en público que uno estaba loco, y Lupe no se podía permitir eso.

Sus amigos más cercanos trataron de abordarla, de recomendarle que se tomara un descanso, pero Lupe no les prestaba oído. Creía que muchas personas querían hacerle daño y se sumergió todavía más en la religión. Al poco tiempo estaba teniendo alucinaciones[189].

Mi madre estaba metida por completo en la religión. La religión y su música: no le importaba nada más. No tenía ni tiempo ni espacio para nada más. Quería pasar conmigo todo el tiempo posible y eso quería decir que yo la pasara todo tiempo con ella en los camerinos o en el estudio de grabación. Si me dicen que defina mi niñez, la palabra sería agitada[190].

Lupe era buena amiga mía y venía siempre a ver mis presentaciones recuerda el célebre cantante boricua Ismael Miranda. Una noche

189 Entrevista a Ismael Miranda, 8 de agosto de 2002.

190 Entrevista a René Camaño, 14 de agosto de 2002.

vino a ver mi presentación y me invitó más tarde a su casa. Fue la primera vez que visité la casa de Lupe y me quedé pasmado.

Acudí con un amigo mío. Yo entonces tenía un auto viejo y ella andaba manejando un Lincoln. Mi amigo conducía mi automóvil y yo subí al de Lupe. Cuando llegamos al Puente George Washington ella paró al lado de mi amigo para darle las direcciones y los dos autos se rozaron, y el de Lupe se pegó un tremendo rayón del lado del conductor. Lupe no reaccionó y continuamos como si nada hubiera ocurrido.

Ya en su casa me encontré con que estaba llena de bellas imágenes religiosas, ¡y algunos de esos santos medían hasta 7 pies de alto! Todos estaban tallados en madera, a un costo, como me lo contó la misma Lupe, ¡de 25,000 dólares cada uno![191].

La casa de Lupe estaba llena de estatuas de tamaño natural de todos los santos que componían su entorno espiritual. Tenía imágenes de Changó, san Cristóbal y la Virgen de la Caridad del Cobre[192], esta última de tamaño natural y hecha en España.

No te imaginas el tamaño de esos santos. La Virgen estaba en un bote, ¡un bote de tamaño natural! En casa de mi madre todo era para los santos. Ellos vivían allá, nosotros sólo estábamos de visita[193].

René Camaño recuerda las visitas a Tico Records cuando estaba pequeño:

El trato que le daban a mi madre era increíble. Era la versión clásica del tratamiento estelar. Se le volcaban encima. Sabían que iba a venir y hasta tenían regalos para mí cuando llegábamos. Con las ventajas que da mirar atrás, ahora creo que la compañía disquera pudo haberla

---

191 Entrevista a Ismael Miranda, 8 de agosto de 2002.

192 Tomado del testimonio de La Lupe, 1989.

193 Entrevista a René Camaño, 14 de junio de 2002.

ayudado de algún modo. Ella estaba agotada, exhausta, falta de cuidados, pero eso hubiera sido pedir demasiado. Ella era una máquina de hacer dinero y en Tico no la iban a desconectar, aunque eso significara acortar su carrera[194].

A mediados de 1973 La Lupe sacó a la venta *¿Pero cómo va ser?* (sic), otro disco en el que desplegaba sus inmensos talentos. Joe Cain estuvo una vez más a cargo de la producción, y un joven pianista de Puerto Rico, que luego sería considerado un genio, Papo Lucca[195], jugó un papel importante como arreglista y compositor.

La grabación resultó excelente demostrando una vez más que las inmensas dotes de La Lupe no se habían perdido. Era su segundo disco después de su rompimiento con Willie García y la segunda vez que no incluía ningún rito santero en sus producciones. La Lupe había regresado; y aparte de que estaba grabando mucho menos, un disco al año en lugar de los dos o a veces tres que solía grabar en los días de Tito Puente, su carrera aparentaba andar nuevamente por la senda correcta.

El viernes 24 de mayo de 1974, La Lupe se presentó por última ocasión en una de las grandes salas de conciertos de Nueva York, cuando se unió al grupo *Tico-Alegre All Stars* en el Carnegie Hall para una doble función dirigida por Joe Cain.

En el concierto, La Lupe estuvo acompañada por el hombre con quien compartió una amistad de toda la vida, el Rey, Tito Puente.

---

194 Ibíd.

195 Pianista virtuoso, Lucca es el director de la Sonora Ponceña, una orquesta fundada por su padre Kike y que ha estado activa durante por lo menos 45 años en Puerto Rico.

El show, con la presentación compartida de los disc-jockeys Paco Navarro y Symphony Sid, exhibía lo mejor que el sello disquero (Tico and Alegre Records) tenía para ofrecer, en un evento que buscaba medir fuerzas entre Tico Records y el sello Fania.

Lupe en el Carnegie Hall en 1974 con las Tico-Alegre All Stars.

La velada comenzó con una maravillosa obertura ejecutada por la Orquesta de Tito Puente, seguida de la voz magistral de Vicentico Valdés. El sexteto de Joe Cuba se presentó luego de un segundo número de Tito Puente, *El hombre y sus instrumentos*, y el concierto continuó ascendiendo hasta la presentación que todo el público había venido a disfrutar, nuevamente La Lupe y Puente, una memorable presentación que puso de pie a toda la concurrencia.

La Reina y *el Rey* volvieron a revivir una era, comenzando como cosa curiosa con una gran interpretación de *Changó*, otro *bembé*, interpretado con mucho brío. Era quizás un último ruego de Lupe a los santos, que por esos días no habían venido tratándola muy bien. Siguió una recapitulación de éxitos, abriendo un paréntesis en el tiempo durante el cual se volvió a tocar la música con el vigor y la conciencia de una era que moría. Fue una delicia estar allí, en ese importante suceso de la historia de la música latina.

Después del intermedio, *el Sonero Mayor*, Ismael Rivera, tocó con sus Cachimbos, un bonito tema de la pluma de Bobby Capó, *Dormir Contigo*, seguido por el maestro pianista y organista Charlie

Palmieri[196] y su orquesta, con el vocalista Vitín Avilés[197]. La velada se cerró con una presentación del cantante Yayo el Indio[198].

Esa noche hubo dos funciones, una a las 8:00 de la noche y la otra a media noche. Los asistentes presenciaron uno de los conciertos más emocionantes en los anales de la música latina.

A finales de 1974 apareció un nuevo disco, *Un encuentro con La Lupe*. Aquí Tite Curet Alonso compuso todas las selecciones, y los arreglos se repartieron entre Joe Cain y Papo Lucca, excepto por la pista *Yo creo en ti*, cuyo arreglista fue Héctor Garrido. Este disco sirvió para poner en alto las renombradas habilidades de Curet Alonso como compositor y también las proezas de Lupe como intérprete.

El disco comienza con un *guaguancó* rápido, *La mala de la película*, con arreglos de Papo Lucca, continúa con una balada, *Sargazo*, y enseguida se calienta con una guaracha, *Sin maíz*. *Más Teatro*, una derivación de *Puro teatro* (un gigantesco éxito para La Pareja de Curet y Lupe) fue un buen tema, pero se quedó corto para alcanzar la celebridad de *Puro teatro*. *Guajira para ti*, con otro arreglo magistral, honra la producción con la incomparable energía de Lupe. *Yo creo en ti*, *El verdugo* y *Eres malo y te amo* rematan las baladas de un álbum que combina diestramente el lado romántico de Lupe con sus habilidades de *guarachera* neta. Definitivamente, fue una de sus mejores grabaciones… pero una de las menos escuchadas.

En las postrimerías de 1974 se le diagnosticó un cáncer a Morris Levy, lo cual puso fin a su carrera como productor musical. Al poco

---

196 Maestro pianista, Palmieri es considerado uno de los tres mejores pianistas de la historia de Puerto Rico junto con Papo Lucca y Luisito Benjamín. Su hermano Eddie también es pianista maestro, ganador de seis premios Grammy.

197 Cantante magistral, Avilés es considerado uno de los pioneros del bolero.

198 Yayo el Indio se distinguía por su voz profunda. Participó en miles de grabaciones como vocalista de soporte durante una larga y distinguida carrera. Murió en 2001 en Nueva York.

tiempo tomó la decisión de retirarse, desencadenando una serie de acontecimientos que cambiaron por siempre la música latina.

La industria musical latina volvía a experimentar cambios profundos. Eran tiempos volátiles y sobre la industria se cernían transformaciones muy significativas.

El fin de una era y el comienzo de un nuevo día

En 1971 Jerry Masucci dio inicio a un proceso que convertiría a su compañía disquera, Fania Records, en la más grande de la historia de la música latina.

Antes había adquirido el catálogo de Cotique Records, maniobra que iba a culminar en 1974 con la adquisición de los mayores sellos disqueros de música latina de la época.

Uno tras otro Masucci había adquirido el catálogo de todos y cada uno de los sellos disqueros latinos que había en el mercado, exceptuando a su principales rivales, Tico y Alegre, dos compañías bajo el férreo control de Morris Levy.

Justo después del concierto de las estrellas de Tico-Alegre en Carnegie Hall, Morris Levy vendió su compañía disquera a Fania Records. Ahora todos los sellos latinos quedaban agrupados al amparo de uno solo, y Fania Records se convertía de un tirón en el mayor sello latino de la historia. El detalle más interesante de la transacción fue que Levy vendió a Masucci su catálogo musical libre de derechos, implicando básicamente que el sello discográfico poseía todos los derechos correspondientes a sus artistas, entre los cuales se contaban La Lupe y Tito Puente.

Aunque hoy en día no somos tan ingenuos, los artistas de la época se contentaban con sacrificar el futuro en aras del presente. Pactaban acuerdos con un sello disquero en los que cedían la propiedad intelectual o regalías futuras a cambio del financiamiento de la producción, el mercadeo y la distribución de un disco. Se razonaba que si la casa disquera asumía las ventas del disco y la producción era exitosa en la radio, los artistas ganarían el dinero con la multiplicación de sus presentaciones y la fama creciente.

Este tipo de arreglo contractual, aunque técnicamente ilícito, era la norma en aquel entonces y se aplica a muchos contratos inescrupulosos actualmente. Esa es una de las fallas que ha caracterizado el negocio del disco en el mercado latino: el productor compra y mercadean la producción, mientras muchos artistas hipotecan su futuro en el empeño por llegar a ser estrellas de cartel y disfrutar días de gloria.

Entre las compañías que entraron a formar parte, con sus catálogos y artistas, de Fania Records and Tapes, se encontraban las disqueras Tico and Roulette (el sello de Lupe y Tito Puente), antes propiedad de Morris Levy, así como Alegre Records y Vaya Records (el sello de Celia Cruz).

Masucci logró fundar el primer imperio musical latino realmente sólido. Esta consolidación abrió las puertas al mayor esfuerzo de mercadeo de la historia de la música latina, un fenómeno conocido como Las Estrellas de Fania.

Cuando Masucci creó la Fania, en sociedad con el director de orquesta Johnny Pacheco, tenían el sueño conjunto de llevar la música latina por todo el mundo. Para esa visión necesitaban un medio, y ese medio eran Las Estrellas de Fania con un motor que sería conocido como la *salsa*[199].

Previamente a la operación de mercadeo de Masucci, la música latina se definía por su sonido y origen; y existía el consenso general de que la base de casi toda la música latina radicaba en el ritmo sincopado del *son montuno* cubano.

La charanga, el guaguancó, el mambo y el chachachá trazaban sus raíces hasta la simplicidad del *montuno*, con su sabroso sostén afrocubano.

Vender estos ritmos a los no latinos no era tarea fácil, y Masucci buscaba desesperadamente una solución a este dilema de mercadotecnia.

El término *salsa* le dió la solución.

La salsa va adelante

Aunque muchos dicen haber inventado la *salsa* y hay diversas versiones sobre quién acuñó el término y dónde se originó la *salsa*, la siguiente historia se acepta como la más ceñida a la verdad:

A finales de la década de los sesenta, un grupo de orquestas de Nueva York viajó a presentarse en un concierto en Venezuela. Una de

---

199 La salsa fue un término de mercadeo empleado para describir los diversos géneros musicales latinos. Se ideó con el fin de presentar esta música a los no latinos y ayudar en el esfuerzo de Fania por internacionalizar este tipo de música.

las orquestas era la de Ricardo Ray[200]. Su música era muy peculiar, caracterizada por un sonido que tomaba prestados elementos de la música clásica, el jazz y el rock, mezclándolos con los ritmos sincopados y estructurados del son montuno.

Míster Salsa, Izzy Sanabria, hace lo suyo.

En el concierto de Venezuela un disc-jockey muy popular, Phideas Danilo Escalona, entrevistó a Ray y le preguntó cómo llamaba la clase de música que hacía, en la que mezclaba diferentes ritmos en uno.

Ray contestó: Mi música es como el ketchup, es algo que le pones a la comida para darle sabor. *¿Como una salsa?*, preguntó Escalona. Sí, respondió Ray.

Acto seguido Escalona presentó la orquesta al público como la *salsa* de Ricardo Ray y Bobby Cruz. Se dice que esa fue la primera vez que el término *salsa* se empleó para presentar a la música latina[201].

---

200 Richie Ray, cuyo nombre de pila es Ricardo Maldonado, es uno de los mejores pianistas que ha habido. Su asociación con el cantante Bobby Cruz creó el sonido clásico de los años sesenta. En los años setenta ingresaron juntos a la Fe Cristiana y han desarrollado un trabajo pastoral muy fructífero en la Florida.

201 Hay casos de canciones e incluso discos que empelaron la palabra salsa en el título en épocas tan tempranas como los años treinta. Por ejemplo, Échale salsita, del compositor cubano Ignacio Piñeiro, en 1929. Jimmy Sabater también compuso la canción Salsa y bembé en 1962. No obstante, nadie usaba el término para cobijar todo un género musical.

A su regreso a Nueva York éstos le relataron la experiencia a Jerry Masucci, y la semilla de la *salsa* encontró tierra fértil[202].

El artista gráfico y comediante Izzy Sanabria, que llegó a ser sinónimo del término *salsa* en todo el mundo, fue el difusor por excelencia del nuevo género musical[203]. Sanabria, apodado Míster Salsa, por sus funciones como maestro de ceremonias de Las Estrellas de Fania, encendía casi por sí solo los ánimos del público con su humor y su consigna de ¡Sal-sa!, ¡Sal-sa! Dividía en dos partes el anfiteatro e instaba a los asistentes, con un lado cantando ¡Sal…! y el otro ¡…sa!, empezando despacio y cada vez más rápido hasta que la multitud se dejaba ir, ansiosa de que la música empezara. Sus esfuerzos fueron de un valor incalculable para la internacionalización del concepto, haciendo de la salsa un nombre de uso cotidiano en la comunidad global del espectáculo.

También tuvo él que ver con la aceptación del nuevo término por parte de la industria musical latina. Para mí, el desarrollo de la salsa fue un proceso natural. Cuando los músicos improvisan se dice que están cocinando, y lo de *salsa* es una adaptación de ese concepto[204]. Aunque nadie puede reclamar para sí la invención del concepto musical, se puede considerar a Sanabria como su padre putativo muy cercano, cuyos empeños fueron cruciales en esparcir la idea por todo el planeta.

---

202 A Izzy Sanabria, conocido como Míster Salsa, hay que darle mucho crédito por ayudar a comercializar el concepto de la *salsa* como término musical. Durante los años dorados de la *salsa*, él fue sin lugar a dudas su vocero en el ámbito mundial.

203 Si bien los puristas no consideran a la salsa un género musical, su sonido fue un reflejo de los nuevos tiempos en la música latina, y hasta se crearon unos pasos (en 2) para que los no latinos pudieran disfrutar de este nuevo delirio de baile.

204 Entrevista a Izzy Sanabria, diciembre de 2002.

Las Estrellas de Fania

Las Estrellas de Fania era una agrupación de músicos reunidos para representar el sonido del sello disquero Fania, en un intento por comercializar su música alrededor del mundo.

Aunque muchos reconocen que los músicos no eran necesariamente los mejores en sus respectivos instrumentos, todos eran muy hábiles y como grupo conformaron uno de los mejores conjuntos musicales de todos los tiempos, en lo que respecta a la música latina.

Todos los integrantes de Las Estrellas de Fania contribuyeron a llevar la antorcha de la música latina por todo el mundo, llevando al estrellato internacional a artistas latinos de la talla de Celia Cruz, Willie Colón, Larry Harlow, Ismael Miranda, Héctor Lavoe, Ray Barreto, Roberto Roena, Bobby Valentín, Cheo Feliciano y Rubén Blades, entre otros.

Fue una estupenda época para la música latina, pues los clubes de baile volvieron a llenarse de parejas. El negocio de la música estaba más robusto que nunca. La industria musical estaba de regreso al futuro y la música bailable se había vuelto a poner de moda, como en la década de los cincuenta. Fueron buenos tiempos para muchos, pero no para La Lupe.

La música que se bailaba en los clubes era salsa pesada, un retroceso a la generación anterior. La era del cabaret había muerto en Nueva York. La música de La Lupe en cierto sentido se estaba quedando rezagada. Ella era un gran espectáculo para observar, pero el público visitaba ahora los salones de baile y ese no era el territorio de La Lupe[205] .

---

205 Entrevista a Víctor Gallo, 22 de febrero de 2000.

Las Estrellas de Fania en concierto. Willie Colón en el trombón, Johnny Pacheco (centro) y Domingo Quiñones (como Héctor Lavoe) durante su última presentación en Puerto Rico, marzo de 2001.

En todo movimiento hacia la expansión siempre hay víctimas. No fue distinto con la expansión de la música latina.

El crecimiento de Las Estrellas de Fania puso en peligro la carrera de muchos músicos que no formaban parte de ese grupo estelar. Agrupaciones como Los Hermanos Lebrón, Joe Bataan, Johnny Colón, Joel Pastrana, Joe Cuba, los TNT y otras más de la era del bugalú fueron prácticamente sacadas con rechifla, y les resultaba muy difícil encontrar trabajo. Hasta *El Rey*, Tito Puente, que pensaba que la salsa era algo que se cocinaba y no algo que se bailaba, pasaba estrecheces en el mercado latino de esos días. Sin embargo, su habilidad para gravitar entre distintos géneros y ritmos musicales le permitió a Puente conservar su nivel como artista de talla y músico maestro.

Desde el punto de vista de la disquera, tenía sentido poner el dinero en la comercialización de los discos de artistas que hicieran parte de las All Stars, pero en el proceso hubo muchas bajas musicales y La Lupe fue una de ellas.

El tremendo éxito de Las Estrellas de Fania llevó la música latina a los cuatro puntos cardinales del mundo; y Fania como sello musical se embarcó de lleno en su difusión, así como en la conformación de las orquestas de los músicos integrantes del grupo.

Orquestas jóvenes como las de Willie Colón, Ray Barreto, Roberto Roena y Bobby Valentín, y músicos como Larry Harlow, que habían firmado contratos con el sello Fania entre mediados y finales de los años sesenta, adquirían ahora merecida fama, a medida que el sonido de Nueva York adquiría un nuevo son: el de la *salsa*. Estos artistas conformaron la espina dorsal de Las Estrellas de Fania; y La Lupe, pese a su fama y popularidad, nunca subió a escena con la agrupación de las estrellas.

En el caso de La Lupe, las condiciones que posibilitaron su increíble viaje al súper-estrellato se habían esfumado. Brillaba un nuevo día para la música latina y la carrera de La Lupe se opacaba rápidamente…

El núcleo de integrantes básicos de Las Estrellas de Fania. El bajista Bobby Valentín no aparece en la foto y es reemplazado por Sal Cuevas.

Celia Cruz entra a la ecuación

Mientras tanto, una popular vocalista cubana llamada Celia Cruz volvía a colarse lentamente en el circuito musical neoyorquino.

Cruz había estado viviendo un tiempo en México, donde se había instalado después de abandonar Cuba con La Sonora Matancera en el año 1960.[206] En 1962, al igual que La Lupe, Cruz llegó a Nueva York, también acompañada de un hombre llamado Pedro. Su acompañante era el primer trompetista de La Sonora Matancera y también su flamante marido, Pedro Knight, con quien estaba recién casada.

Celia también había firmado con Tico Records y luego de haber grabado seis discos con Tito Puente su gesta musical no había sido muy exitosa. Dos factores influyeron a esto: en primera instancia, la condición del mercado no era idónea para la música bailable a comienzos de la década del sesenta y, segundo, por supuesto, era La Lupe, quien dominaba en su totalidad el mercado musical. Luego de un tiempo, durante el cual la guarachera cubana se mantuvo en un limbo musical, esta le pidió a Tico Records que la liberara de su contrato y decidió continuar sus exitosas giras y presentaciones junto a La Sonora Matancera.

Antes de adquirir a Tico Records, Jerry Masucci había comenzado a perseguir a Celia Cruz para que formara parte de su sello disquero.

---

206 Celia era la cantante principal de La Sonora Matancera, una orquesta cubana de increíble tradición, conocida no sólo por la buenísima música latina que tocaban sino también por los grandes cantantes que habían hecho parte de la orquesta.

Masucci buscaba una alternativa para socavar el mercado desarrollado por La Lupe y Celia Cruz presentaba una magnífica alternativa.

Sin embargo, entre el fin de la década del sesenta y el principio del setenta un nuevo fenómeno, los secuestros aéreos, estaban afectando la carrera de Celia Cruz.

Aunque era extremadamente talentosa y popular, Celia se había visto impedida por su miedo a volar, en una época en que los secuestros de aviones a Cuba eran una ocurrencia casi mensual. Durante ese lapso había viajado únicamente en automóvil o bus a sus compromisos musicales, limitando con eso su capacidad para participar plenamente en la escena latina. Y aunque había grabado seis discos con la Orquesta de Tito Puente, la pareja nunca había colocado ni un sencillo en los primeros lugares. Eso también iba a cambiar pronto.

Cuando cesaron los secuestros, Celia rápidamente se integró al mundo salsero de Nueva York. Su carácter y proceder nunca suscitaban dudas. Era juiciosa, responsable y profesional en su relación con el trabajo, y su vida de hogar era irreprochable[207]. En cierto sentido, era todo lo opuesto de La Lupe.

En 1972, Jerry Masucci invitó a Cruz a una reunión informal en Nueva York para discutir un acuerdo con su disquera. Para la sorpresa de Celia Cruz la reunión fue pactada en un estudio de grabación y aunque la cantante cubana desconocía esto de inmediato grabó con la orquesta de Larry Harlow un tema que hacía parte de la ópera Hommy. El tema, *Gracia divina*, se tomó los listados por asalto, tanto en Nueva York como en Puerto Rico, y puso a la talentosa cantante cubana en la cima de las ventas, posición que mantuvo hasta su fallecimiento el 16 de julio del 2003.

---

207 Celia se casó en el año 1962 con Pedro Knight, un trompetista de La Sonora Matancera, con quien sostuvo una relación matrimonial sin par durante más de cuarenta años.

Masucci la firma para un contrato de grabación y de inmediato la envió a Puerto Rico como artista exclusivo de la Fania y en el 1973 graba Bemba Colorá, otro éxito gigantesco, en el Coliseo Roberto Clemente. Masucci encontró en La Guarachera del Mundo una solución para competir contra La Lupe, y pronto el destino pondría en sus manos los designios de las dos reinas de nuestra canción.

En 1974 Celia prosiguió con el disco Celia & Johnny (Pacheco), un álbum que llevó al público las canciones *Toro mata* y su clásico *Quimbara*, temas que han resistido la prueba del tiempo y son favoritos de los amantes de la música latina en todo el mundo.

En 1975 Celia volvió a grabar con Pacheco, quien era, de modo conveniente, copropietario de Fania y director musical de Las Estrellas de Fania. El disco, *Tremendo caché*, fue uno de los discos más vendidos del año, con el tema *Sopa en botella* y el clásico de Celia Cruz *Cucala*.

Estos discos fueron seguidos en su orden por *Recordando el ayer* (1976), con Johnny Pacheco, Justo Betancourt y Papo Lucca, *Only They Could Have Made This Album* (1977) junto a Willie Colón, *Eternos* (1978), con Johnny Pacheco, y *La ceiba* (1979), con La Sonora Ponceña.

Estas producciones llevaron a Celia de regreso a sus raíces, por cuanto las grabó en el estilo que la había lanzado a la fama con La Sonora Matancera[208] en Cuba.

En el lapso de siete años, entre 1973 y 1979, Celia Cruz grabó al menos en siete discos, esto sin contar sus grabaciones junto a Las Estrellas de Fania. Durante ese período La Lupe sólo hizo tres, aunque Fania sacó al menos tres recopilaciones de sus temas, de los cuales a ella no le tocó ganancia alguna.

Más importante aún, sus últimos tres discos: *Un encuentro con La Lupe* (1974), *La Pareja* (1978) y *Algo nuevo* (1980) recibieron muy poco apoyo comercial de la Fania. No había duda de que Celia Cruz había desbancado a Lupe como *la Reina de la Música Latina.*

Celia entró casi de inmediato a formar parte de Las Estrellas de Fania, una agrupación a la que Lupe nunca consiguió ni tan siquiera ser invitada.

Cruz era además una excelente cantante cuyas salidas eran más moderadas y más aptas para las presentaciones de Las Estrellas de Fania que las de La Lupe.

La veterana cantante cubana corría ahora a plena marcha, afianzándose en el ámbito musical latino y, por supuesto, en Las Estrellas de Fania.

---

208 Celia Cruz comenzó con la Sonora a la edad de 16. Tras sufrir el rechazo inicial de los seguidores de la orquesta, Celia consiguió cimentarse y con el tiempo llegó a ser *la Reina de la Salsa.*

Por otro lado, las presentaciones de La Lupe eran más pomposas y hasta cierto punto más individualistas. La Lupe era un espectáculo por sí sola, pero ahora los de Las Estrellas de Fania eran el espectáculo.

Ser parte de Las Estrellas dice Cheo Feliciano era el sueño de todos los músicos. Viajábamos por todo el mundo y cosechamos fama internacional por ser miembros de Las Estrellas de Fania, y eso ayudó inmensamente a nuestras carreras individuales. También hicimos grandes amigos y la camaradería que se estableció todavía sigue viva. El negocio de la música no es fácil y yo me vería inclinado a pensar que Las Estrellas de Fania nos ayudaron inmensamente en la vida profesional y que el proceso fue mucho más duro para los que no formaban parte de la agrupación[209].

Con todo y su nombramiento como *Reina de la Canción Latina*, sus discos de oro y el ser la única mujer de su época que agotó boletería en el Madison Square Garden y el Carnegie Hall, La Lupe no reunió méritos suficientes para ser integrante de Las Estrellas de Fania.

Como hecho insólito queda para la historia el que La Lupe nunca formó parte del grupo. Por

El éxito de Celia Cruz se vio ayudado grandemente por sus estrechos lazos con su esposo por más de cuarenta años, el músico Pedro Knight, a quien conoció en sus días con La Sonora Matancera.

209 José Cheo Feliciano es uno de los cantantes más queridos en la historia de la salsa. Miembro perenne de la Estrellas de Fania, lo entrevistamos antes de una presentación en Nueva York en el 2001.

otra parte Celia Cruz, muy merecidamente, se integró al grupo de Estrellas casi inmediatamente y llegó a convertirse en su máxima atracción.

Sin duda el hecho de no haber sido invitada a formar parte de Fania fue otra frustración que cargó La Lupe durante muchos años y que acentuó las frías relaciones existentes entre ella y Celia Cruz.

¿Por favor se quiere poner de pie el padre de mi hija?

Muchos dan por sentado que el padre de Rainbow García, la hija de La Lupe, es Willie García, su esposo durante ocho años.

No es así.

Mario DiFrisco en la actualidad. El antiguo músico es ahora un cristiano vuelto a nacer y trabaja asistiendo a drogadictos.

A veces, la Yiyiyi preguntaba en un concierto: ¿Por favor quiere ponerse de pie el padre de mi hija?. La orquesta en pleno se ponía de pie. Todo el mundo reía, pero no era una broma. La Lupe sostenía que su hija era producto de una violación por uno de los integrantes de la orquesta, hecho que padeció en silencio la mayor parte de su vida.

Después de la separación de Lupe y Willie García, un joven entró en su vida. Era un italo-puertorriqueño joven y apuesto llamado Mario DiFrisco y apodado Mario *Changó* por sus amigos en la industria musical.

DiFrisco era *conguero* y *santero*. Al contrario de Lupe, su devoción al culto era más por conveniencia. Era considerado un estafador, gatillero y un pesado consumidor de drogas. También era hijo de *Changó*.

Había algo especial, siendo uno hijo de Changó y ella hija de *Ochún*. Era una combinación mortífera y sentimos una especie de atracción fatal. Mi *padrino* nos presentó y convenció a Lupe de que me diera una mano, aunque no hubo que convencerla mucho. Yo era mucho más joven que ella y le gusté de inmediato[210].

Cuando DiFrisco conoció a La Lupe se le presentó como el hijo de un prestante petrolero venezolano. Tenía algunas tarjetas de crédito robadas en el bolsillo y le hizo perder a Lupe la cabeza. Ella necesitaba un compañero de tiempo completo, Mario era joven y guapo… y quedaron flechados.

Más adelante Lupe descubrió la verdad acerca de DiFrisco: era un buscavidas criado en las duras calles de Nueva York, pero también era *santero*, ahijado de otro santero ilustre y respetado, Domingo Gómez. Gómez le dijo a Lupe que DiFrisco era el hombre que ella necesitaba y le pidió que lo ayudara.

Otra vez Lupe siguió el consejo. En ocasiones DiFrisco se unía a la orquesta de La Lupe como percusionista; después se fue a vivir con ella.

Las versiones de lo que sucedió a continuación son encontradas. Lupe alegaba que Mario la forzó estando ella bajo la influencia de los

---

210 Entrevista a Mario DiFrisco, 7 de agosto de 2002.

somníferos que tomaba todas las noches. Mario sostenía que fueron relaciones por consentimiento entre dos adultos.

Nunca sabremos lo que pasó en realidad, pero Lupe quedó embarazada de su hija Rainbow.

1975, el año en que se soltaron todos los demonios

Mientras el mercado de la música latina cambiaba constantemente, *La Reina de la Canción Latina* seguía disfrutando de la fama, aunque sus presentaciones y sus discos iban en notorio descenso.

A principios de los setenta Lupe no tenía que trabajar mucho. Le pagaban bien, y mientras otros tenían que trabajar varias veces por semana para ganarse la vida, ella seguía exigiendo enormes sumas y podía vivir más que decentemente con trabajar una vez a la semana. En cuanto a sus planes de grabación, habían mermado considerablemente, con un disco al año, si mucho[211].

En esos días la vida era muy veloz, loca, y yo estaba en el vehículo más veloz de todos: La Lupe. La pasamos en grande durante unos años, pero ella no era fácil en absoluto. Quedó preñada y nos peleamos. Me tuve que marchar. Por otro lado, Lupe tenía una gran capacidad de amar y hasta el presente es la persona más increíble que yo haya tenido el placer de conocer en la vida.

Decían muchas falsedades de ella. La Lupe no consumía drogas, nunca. Su personalidad no se lo hubiera permitido. Era hiperactiva en grado sumo, eso es todo. Cargó con ese estigma (el de ser drogadicta) a lo largo de toda su vida adulta, principalmente por culpa de su marido, pero también por algunas de las personas que la rodeaban, incluyéndome.

---

211 Ibíd.

A veces se fumaba un porro conmigo antes de hacer el amor, más por darme gusto que por otra cosa. De las drogas duras, ni pensar. No era lo suyo, y se molestaba muchísimo cuando la gente consumía drogas pesadas delante de ella[212].

La verdad es que la personalidad gregaria de Lupe era también un problema. Con todo y ser una estrella de primera plana, Lupe no tenía inconveniente en juntarse con personas que acababa de conocer. Lupe establecía fácilmente amistad con la gente, sin importarle su pasado, y esa gente a su turno se jactaba de su amistad con ella, lanzando cuentos que simplemente se agregaban al mito[213].

No obstante, la industria estaba en proceso de cambio y Lupe también. En el ámbito musical latino se rumoraba que Lupe quería pasarse al mercado principal de la música norteamericana, abandonando a los latinos. Esos comentarios no tardaron en llegar a oídos de algunos de sus seguidores, que comenzaron a cuestionar la lealtad de la *Yiyiyi*.

Lupe se sintió terriblemente herida con esto. Sus fanáticos eran su familia, su posesión más preciada, pero ahora estaba embarazada y no podía presentarse con la misma frecuencia. Algunos músicos y muchos admiradores percibieron su ausencia de las tablas como un desaire que le hacía a la comunidad musical latina. Y los rumores se esparcieron como incendio en bosque seco.

Lupe es madre... otra vez

El 7 de febrero de 1975 Lupe dio a luz su hija Rainbow.

---

212 Ibíd.

213 Durante la investigación para este libro dos individuos se nos presentaron, uno como su secretario y el otro como su último marido. Ambos mentían y durante años han estado contando mentiras y exageraciones a todo el que quiera oírlos, incluidos los medios, al hablar de su relación con La Lupe.

En la fecha del nacimiento de Rainbow no eran muchas las cosas que marchaban bien en la vida de La Lupe.

Su relación con el padre de Rainbow, Mario DiFrisco, a quien Lupe acusaba de haberla violado, no era la mejor, así que le pidió a Willie García que le diera el apellido a la recién nacida, lo que Willie consintió solícitamente.

El matrimonio con García era cosa del pasado. A él lo habían internado por esquizofrenia en un hospital de Miami, y como La Lupe no tenía seguro de salud, ella estaba pagando todas las facturas médicas. La gente comentaba que los *santos* los habían desplumado.

Los *santeros* se aprovecharon de ella dice Johnny Surita. Fueron horribles con ella. Ella ofrecía esas grandes fiestas en su mansión y ellos se aparecían por centenares. Lupe tenía cajas de champaña Dom Perignon y le daba una botella a cada uno. A veces salía de gira y los santeros se quedaban con la mansión y tenían toda clase de actividades allá, hasta orgías. Le faltaban al respeto a ella y a la casa[214].

Lupe también mantenía de su bolsillo a diversos *santeros*, algunos a razón de 15,000 dólares al año, mucho dinero para los estándares de los años setenta.

Sus contratos de grabación y de presentación no llegaban ahora con la celeridad con que solían venir. De hecho, desde que su contrato estaba en manos de Jerry Masucci, presidente de Fania Records,[215] La Lupe había dejado de ser *la Reina* hasta de su propio sello disquero. Este honor pronto le iba a ser conferido a Celia Cruz.

---

214   Entrevista a Johnny Surita, septiembre de 2002.

215   A Morris Levy le habían diagnosticado un cáncer y se había visto forzado a vender su sello disquero a Fania, dejando el campo libre a esta casa en lo tocante al mercado latino. Con esto se creó un virtual monopolio, al menos en Nueva York, capital de la salsa.

Lo que es más importante, los derechos de sus ventas disqueras nunca hicieron parte de sus ingresos. Tras vender millones de unidades, La Lupe no tenía más fuente de ingresos que sus presentaciones. Por primera vez pasaba penurias económicas[216].

Fuimos a Tico Records, donde ella esperaba recibir un cheque por 50,000 dólares. Cuando llegamos notamos que algo andaba mal. La Lupe era la estrella de la disquera y siempre la trataban con una calidez especial desde el minuto en que cruzaba el umbral. Esta vez el tratamiento era distante, por decir lo menos.

Cuando mi madre fue a ver a Morris Levy se le informó que no había cheque para ella y que él le había vendido su contrato, junto con el sello, a Masucci.

Se puso furiosa y se lo hizo saber a todos los presentes, con una gran reprimenda para Levy. Él salió detrás de ella y trató de darle un cheque, pero ella se lo arrojó a la cara. Salió con 25 discos, bramando y despotricando mientras decía no sé qué de los santos, y no volvimos por allá nunca más[217].

Estaba retrasada en los pagos de la hipoteca y por la enfermedad de Willie no podía mudarse para vender la casa. Los costos del tratamiento médico de Willie también contribuían a la carga. Las presiones crecían día tras día, y aunque ella siempre nos mantuvo apartados de las cosas malas, sabíamos que algo andaba mal[218].

El estado mental de Lupe Yolí era tan deficiente, que en vez de consultar con un abogado para salvar la casa y sus problemas de pareja, seguía preguntándoles a los caracoles y recurriendo a los *santeros*.

---

216 Actualmente los herederos de La Lupe reciben unos 9.19 dólares por trimestre de las regalías de la Fania, triste resultado de lo que les sucedió a muchos artistas durante esa época.

217 Entrevista a René Camaño, hijo de La Lupe, el 14 de junio de 2002.

218 Ibíd.

En su testimonio cristiano afirmó que bajo el influjo de la *santería* no podía ver o reconocer lo que estaba ocurriendo[219].

Lupe también tenía problemas con las cuerdas vocales y empezó a buscar ayuda. Los consejeros místicos le recomendaban redoblar el trabajo espiritual y cada uno de ellos le costaba a la cantante miles de dólares. Una vez más, ella volvía a seguir sus consejos.

Finalmente Lupe encontró un doctor que la inyectaba periódicamente para aliviarle las cuerdas vocales y pudo proseguir con su vida artística.

Hora de ser madre

Lupe estaba cansada de la rutina repetida en la que había caído su vida. Al darse cuenta de que no había estado presente para su hijo René durante su infancia, Lupe decidió ser una buena madre para su hija Rainbow y solicitó un receso de dos años al principal promotor de ese entonces, Ralph Mercado[220].

219 Tomado del testimonio de Lupe Yolí, 1989.

220 Ralph Mercado fue un productor de primera línea desde el año de 1979, cuando junto a Ray Avilés empezó a contratar a todos los artistas del sello Fania. La exitosa carrera de Mercado se ha prolongado hasta la actualidad.

La respuesta de Mercado a Lupe fue como sacada de una película: Si me dejas ahora, no volverás a cantar jamás en esta ciudad[221].

Ella estaba en muy mal estado dice DiFrisco. Estaba completamente obsesionada con la religión y andaba por ahí pensando que todo el mundo le estaba enviando maleficios. Con el tiempo la profecía se cumplió. Cayó en unas depresiones muy hondas y se quedaba en la cama hasta tres o cuatro días seguidos. Hacía cosas como encender la calefacción cuando afuera hacían 100 grados. Sus cambios de ánimo eran totalmente impredecibles[222].

Su amiga Antonia Rey recuerda: Éramos amigas desde Cuba, muy buenas amigas. Cuando venían a casa a visitarnos, Willie pedía un vaso de agua y lo tapaba con la mano. De esa manera, según los *santeros*, se evita que la gente te haga el *mal de ojo* u otro hechizo. Llevábamos mucho tiem-

po siendo amigas, y ahora él (Willie) no confiaba en nosotros. Eso creó un problema y al poco tiempo ya se sentían incómodos si no estaban rodeados de santeros. Mi marido se puso furioso con Willie y él dejó de venir a la casa.

Su dedicación al culto aisló realmente a Lupe de muchos de sus amigos en una hora en que estaba urgentemente necesitada de amor y de cuidados. La mayoría de quienes la rodeaban en esos días tenía una sola cosa en mente: la ganancia monetaria.[223]

221 Entrevista a Rainbow García, hija de La Lupe, 18 de julio de 2002.

222 Entrevista a Mario DiFrisco, 7 de agosto de 2002.

223 Entrevista a Antonia Rey, 16 de junio de 2002.

Ralph Mercado recuerda: La Lupe era un talento extraordinario pero era muy difícil. Ella no confiaba en nadie y, por ende, era casi imposible de manejar[224].

Lupe buscaba amor, desesperadamente, en todos los lugares equivocados. No soportaba estar sola, y en el peor momento fue abandonada por la industria que tanto amaba[225].

Aunque Lupe había dejado de grabar, sus discos se seguían vendiendo muy bien y la casa Fania sacó dos compilaciones excelentes de la Yiyiyi: *The Best* y *Única en su clase.*

Lupe y Rainbow, ca.1978.

Estas antologías daban a los seguidores de La Lupe un gran valor por el que pagaban, y a la compañía le aportaron unas buenas ganancias. Lupe, sin embargo, no vio un solo centavo de estas producciones, que incluían sus principales éxitos: *La tirana, Si vuelves tú, Qué te pedí, Como acostumbro, Amor gitano, Puro teatro, Carcajada final, Lo que pasó, pasó, Tan lejos y sin embargo te quiero, Esas lágrimas son pocas, Se acabó, Besito pati, Dueña del cantar* y muchos otros que aún son favoritos de sus seguidores. Para empeorar la situación, Lupe ahora se afanaba por ser buena madre.

René Camaño explica: A mí me crió mi abuela durante la infancia y siempre tuve niñeras. Lupe vivía trabajando y no tenía mucho tiempo

---

224 Entrevista con Ralph Mercado 17 de julio de 2003.

225 Entrevista a Johnny Surita, 22 de julio de 2002.

para ser madre. En aquel momento decidió que iba a ser distinto con mi hermana, que esta vez iba a ser una madre.[226]

Para colmo de males, el mercado musical, que había rendido adoración a Lupe por casi una década, ahora le pedía a *la Reina* que bajara de tono su estilo.

Corrían nuevos tiempos, un nuevo despertar, y la salsa se había hecho cargo del público neoyorquino. El público, ahora en vestidos de noche y de traje y corbata, llenaba las pistas de baile. Era la inversión total a los días en el viejo Palladium, en nuevos lugares como El Corso, Casa Blanca, Barney Googles, Cork and Bottle, El Época, Ochentas y el Club Broadway, el estilo musical de Lupe ya no tenía un lugar donde expresarse.

Una situación muy similar a la que la había hecho expulsar de Cuba se repetía ahora, en la tierra de la libertad, los Estados Unidos de Norteamérica. La sensación de los años sesenta resultaba demasiado fogosa, grotesca incluso, para los setenta.

---

226 Entrevista a René Camaño, 14 de junio de 2002.

Capítulo VI

Abandonada por los santos... olvidada por el mundo

Sé pecador y peca con fuerza, pero con más fuerza aún ten fe y regocíjate en Dios.
Martín Lutero, 1556

Hacia 1977 la vida de Lupe era un desastre total. Dondequiera que se presentaba surgía un nuevo problema; y el amor de su vida, Willie García, se había convertido en el mayor de todos.

Aunque estaban divorciados, Willie había empezado a acechar a Lupe y hacerle la vida imposible. La relación entre ambos había adquirido un cariz de amor-odio. Era claro que no podían estar juntos, pero tampoco podían vivir separados.

Dado de alta en el hospital y de regreso en Nueva York, García se aparecía en sus presentaciones y armaba un jaleo con su comportamiento, justo antes de que Lupe saliera a la tarima. Merodeaba por el barrio de ella y le hacía llamadas amenazantes. Willie sabía dónde iba a estar La Lupe y le hacía saber claramente que podía dar con ella cuando quisiera.

Lupe amaba a Willie y nunca hacía nada por impedir que la acosara, pero sus acciones la iban desgastando poco a poco.

El motivo de su rompimiento había sido el consumo de drogas de Willie, el cual aumentaba su agresividad. García era una víctima de la vida nocturna de Nueva York y se había vuelto un consumidor pesado de cocaína a espaldas de Lupe. Al principio ella trató de hacerlo parar y sus discusiones terminaban en golpizas, que Lupe se aguantaba, en ocasiones delante de su hijo René.

Yo era un niño de escasos nueve años cuando vi a Willie pegarle a mi madre. Esa imagen ha permanecido conmigo toda la vida. Yo era demasiado chico para comprender, pero con el tiempo todo se aclaró.

Willie estaba muy metido en las drogas. Un día mi madre estaba limpiando el área donde ponía los *santos*. Cuando abrió una urna dedicada a *Changó* encontró una bolsa grande de cocaína que Willie había escondido adentro. Mamá la arrojó por el inodoro. Eso ya era el colmo. Las acciones de Willie demostraban un irrespeto total por los santos y la religión, algo insoportable para una persona tan devota como Lupe.

Un día Willie llegó a la casa, tras haber pasado la noche fuera y fue a buscar las drogas en donde las había dejado, al no encontrarlas le preguntó a mi madre y ella le relató que las había botado.

Willie se puso furioso. Cogió un hacha ceremonial que mi madre guardaba en la casa y empezó a romper todo lo que había a la vista. Mi madre me agarró y salimos corriendo de la casa. Luego me dejó en casa de mi abuela antes de irse, sin decirnos a donde. No la vi en por lo menos tres semanas después del incidente[227].

Lupe se refugió en casa de su amigo Mario Grillo, el gran Machito, donde pasó un par de semanas con miedo de volver a la casa y sin saber qué hacer.

Parece que Machito llevó a Lupe al hospital, diciéndole que Willie no la podía alcanzar allá. Confiada como siempre, ella obedeció. Cuando se dio cuenta de que estaba en un centro de rehabilitación de drogadictos, Lupe me llamó desde allá y me pidió que fuera a sacarla, dice Johnny Surita.

Tal parece que el estado de Lupe se había vuelto insoportable para la familia Grillo. Se mostraba asustada y paranoica, miraba por la ventana todo el tiempo, temerosa de que Willie viniera por ella.

Machito, que era respetado y admirado por la mayoría de los músicos como una figura paterna, colaboraba en un programa de rehabilitación de adictos. Le dijo a Lupe que estaría a salvo allí y la llevó al hospital. En su desesperación, Lupe accedió.

---

227 Entrevista a René Camaño, 12 de agosto de 2002.

Estaba en muy malas condiciones y muy asustada. Más que todo tenía miedo de que los medios descubrieran *que había estado en un hospital*[228]. Se murmuraba que tenía fuerte dependencia de drogas. Su marido, Willie García, que durante sus episodios de depresión y esquizofrenia había adquirido el hábito de contar historias descabelladas sobre La Lupe, había ayudado a propagar esos rumores. Decía que había dejado a Lupe porque ella consumía drogas.

Por miedo a que la prensa descubriera que estaba internada y se armara un mayor escándalo, Lupe se fugó del pabellón y yo fui a recogerla[229]. Después de que Lupe regresó a su casa las llamadas telefónicas de Willie siguieron atormentándola.

La llamaba por teléfono para decirle cosas como Te estoy viendo y no te puedes escapar de mí, desde una banca del parque que había enfrente de la casa. Lupe se ponía muy nerviosa y sentía que la seguían a todas horas, lo que era cierto. Su vida se convirtió de un cuento de hadas a una horrorosa pesadilla[230].

Una tarde mi madre comenzó a actuar de una manera muy extraña. Me pidió que fuera a una tienda que quedaba bastante lejos, a que le comprara unos frascos de jugo de toronja Tropicana. En ese tiempo los envases eran de vidrio y muy pesados. Yo tenía once años, pero ella me dijo que yo era el hombre de la casa y podía hacerlo, así que fui.

Pasaron un par de horas y cuando volví a casa mamá no me quería abrir la puerta. Decía incoherencias y no me reconocía. Llamamos una ambulancia y la llevaron al hospital, donde estuvo dos semanas en tratamiento por colapso nervioso[231]. Mi abuela la registró con un nombre falso y la prensa nunca se enteró del incidente[232].

---

228 El subrayado es mío.

229 Entrevista a Johnny Surita,
      13 de agosto de 2002.

230 Ibíd.

231 Lupe padeció por lo menos dos colapsos
      nerviosos. Se trataron con gran reserva
      y no se informó a la prensa.

232 Entrevista a René Camaño, 13 de agosto
      de 2002.

La Pareja... un esfuerzo por revivir el pasado.

Hacia 1977 no eran muchos los acontecimientos en la vida artística de Lupe Yolí.

Su vida personal y su profesión seguían un mismo camino, un camino que conducía al desastre.

El contrato de Lupe era ahora propiedad de la disquera Fania, y con el surgimiento de Celia Cruz, que para entonces había grabado seis elepés muy exitosos, Masucci no tenía ninguna prisa por moverse con respecto a La Lupe.

Johnny Surita recuerda: Estábamos en la oficina de Masucci y Tito Puente estaba presente. Lupe quería anular el contrato con el sello para poder buscar otras oportunidades, y Masucci se oponía tajantemente a proceder así. Tito apoyaba a Lupe y le pidió a Masucci que la dejara en libertad si no la iba a utilizar.

Masucci propuso en cambio que grabaran un nuevo álbum. Quedaron en eso, y en 1978 grabaron *La Pareja*[233].

La Pareja fue un disco mal planeado, que buscaba salvar los restos de la carrera de La Lupe.

En *La Pareja*, Puente y Lupe suenan como si no quisieran estar ahí. Era un producto de corta duración, con sólo ocho canciones; y aunque sonaba bastante bien, le faltaba el sentimiento de las antiguas grabaciones en conjunto de los dos artistas.

Fue como si Lupe supiera que su destino no estaba en sus manos, y que por más bueno que fuera el disco no podría vencer a Celia o los prejuicios de Masucci contra ella. La mejor forma de describir el disco es decir que se siente vacío o que le falta el sentimiento que La Lupe ponía siempre en sus grabaciones.

---

233 Entrevista a Johnny Surita, 14 de agosto de 2002.

En su libro Salsa, que es ahora todo un clásico, el musicólogo César Miguel Rondón critica duramente el disco *La Pareja*, llamándolo casi una vergüenza[234].

Aunque definitivamente no fue uno de sus mejores discos, habría que hacer justicia a la producción de Louie Ramírez y agregar que la combinación de Tito Puente y Ramírez conformó un dúo como se han visto pocos en cuestiones de producción musical. En lo musical, se puede decir que fue bien realizado y que La Lupe hizo un trabajo sólido, pero con sólo ocho canciones y limitada exposición en la radio, estaba destinado a fracasar.

En 1978 Fania no estaba dispuesta a invertir el dinero para asegurarle el éxito a la producción. En lo que a ellos concernía, Celia Cruz era ahora *la Reina*… y en el mercado latino no había espacio para dos soberanas.

Un huracán se suma al mito

En el verano de 1979 un enorme huracán, el David, cruzó por el Caribe causando grandes pérdidas, tanto en propiedades como en vidas humanas. La República Dominicana fue golpeada con especial gravedad y la nutrida comunidad dominicana de Nueva York montó una campaña para ayudar a sus hermanos en la madre patria.

---

234 Esta producción fue casi una vergüenza, César Miguel Rondón, Salsa, págs. 99-140.

Un grupo de artistas se apresuró a ofrecerse para realizar una serie de presentaciones con el fin de recoger dinero para las víctimas, y La Lupe formó parte del contingente musical que viajó a la tierra de Duarte.

Aunque estaba vetada en Nueva York, seguía siendo La Lupe y una atracción infalible en cualquier evento.

Roberto Gerónimo[235] recuerda la ocasión: Yo estaba encargado de transportar a los artistas y llevé un día a La Lupe a que hiciera un especial de televisión. Noté que había ganado bastante peso y el vestido que llevaba le quedaba un poquitín estrecho. Sin embargo, estaba magnífica y todavía se comportaba como *la Reina*.

Cuando llegamos a la estación ella comenzó a cantar y bailar, en fin, a hacer su número con mucha entrega, de pronto se le partió una de las tiras que le sostenían el vestido. Ella no se dio cuenta y al momento uno de sus grandes senos estaba expuesto en la televisión en vivo.

Lupe siguió cantando y cuando cayó en cuenta ya era muy tarde. Cientos de miles de televidentes habían visto en vivo y en directo a La Lupe cantando con un pecho afuera.

Este suceso se sumó al mito de La Lupe, y hasta el día de hoy son muchos los que juran haber ido a un espectáculo o un concierto donde La Lupe se sacó los senos o se mordió uno de ellos; o cualquier otro cuento sobre su realmente impresionante busto. La mayoría no vio los pechos de Lupe ni en la televisión ni en persona, pero la voz corría a lo largo y ancho. Como pasó tantas otras veces en su vida artística, esa noche en República Dominicana se convirtió en otra historia que prolongó la leyenda.

---

235 Gerónimo es un periodista y productor de televisión que trabaja principalmente con la comunidad dominicana de Nueva York. Durante muchos años fue el empresario y agente del cantante José Alberto el Canario.

Un último esfuerzo se queda corto

A comienzos de los años ochenta, La Lupe quemó los últimos cartuchos en un esfuerzo por salvar su carrera: tratando de hacer un retorno más, grabó el disco *Algo nuevo*. Por fin había aceptado efectuar algunos cambios y tenía mucha fe en el proyecto, aunque sabía que la batalla sería cuesta arriba. *La Reina* ya había perdido su posicionamiento en el mercado y Celia Cruz había asumido el mando. Fania sacó el disco en 1980 y Louie Ramírez, el grande de la salsa de todos los tiempos, hizo la producción.

Era una producción especial, realizada con las técnicas más novedosas, con violines, (muy a tono con la época) y más de 20 de los mejores músicos de entonces, la mayoría integrantes de *Las Estrellas de Fania*.

Una vez más, el disco no satisfizo las expectativas de su sello disquero; y terminó siendo la última grabación de La Lupe para el mundo.

En términos musicales, *Algo nuevo* es una de las mejores grabaciones de La Lupe. Aunque se ha sostenido que ella se rehusó a cambiar con los tiempos, La Lupe probó allí que su estilo, su interpretación y la gradación de su voz no habían perdido un ápice, y que conservaba intactos los atributos que la habían convertido en *la Reina de la Canción Latina*. Sin lugar a dudas, *Algo nuevo* fue un producto excelente. Desdichadamente, muy pocas personas lo escucharon.

Al igual que en *La Pareja*, el apoyo de ventas por parte de su sello disquero dejó mucho qué desear, y un gran producto (quizás el mejor de todos los que hizo La Lupe) se perdió en ese mar de mediocridad que caracterizó el final de la década de los setenta y el comienzo de los ochenta.

Una ironía aún mayor fue el hecho de que la década de los ochenta vio despertar una nueva tendencia en la música latina que implicaba una separación de las raíces tradicionales de la salsa. Esta nueva boga se llamó salsa romántica[236], que durante un tiempo tuvo un éxito arrollador. La Lupe fue la principal artista romántica de su época, pero a estas alturas ya era una idea gastada y no volvería a grabar para el mundo secular de la música.

Dos reinas y un solo trono

Los percances eran ahora habituales en la vida de Lupe. Corrían rumores sobre el estado de su marido, su supuesto consumo de drogas, de disputas con los representantes, de su religión y hasta del naufragio de su carrera y su rivalidad con Celia Cruz.

Celia Cruz en escena con dos hombres fundamentales en su carrera artística: Johnny Pacheco (a su izquierda, al fondo) y el Rey, Tito Puente.

Con el surgimiento de la salsa se pudo bailar al ritmo de una nueva música vibrante y poderosa, y los amigos del baile redescubrieron a Celia Cruz. En efecto, en esos días los fanáticos se dividían entre los campos de dos estrellas femeninas, cada una de las cuales tenía para ofrecer un plato diferente.

Lupe era magnífica con los *boleros*, mientras que Celia era insuperable con las *guarachas* y los *mambos*. Aunque ninguna de las dos tenía puntos débiles y ambas se podían pasear por todos los ritmos latinos

---

236 La salsa romántica fue una derivación que se hizo muy popular en los años ochenta. Básicamente, tomaba boleros clásicos y los interpretaba a ritmo de salsa. Así conseguía que los clásicos resultaran atractivos a un público que ya no bailaba boleros y que se aburría con la falta de creatividad que iba siendo la regla en el mercado musical. El músico, arreglista y compositor Louie Ramírez fue uno de los pioneros de este movimiento que terminó ganando el desprecio de los puristas.

con la excelencia que su dignidad real sugería, las realidades del mercado musical latino en ese momento apostaban a favor de Celia Cruz.

Aunque, en lo artístico al menos, el mercado tenía cabida para las
dos, lo cierto es que La Lupe era su peor enemiga. Durante un tiempo
no le pareció que tuviera que cambiar nada en su interpretación artística. Ella era *la reina*, y punto. Con esta idea fija, ser su representante
era una pesadilla; y los problemas de su vida privada la tenían conde-
nada a fracasar.

El productor Héctor Maisonave declara: Lupe era una persona
muy sensible, pero era también una mujer muy fogosa. Era muy difícil ser su representante y a ella le gustaba decir siempre la última palabra. Era como si pudiera oír pero nunca escuchar. La mayoría de sus
problemas vinieron de tener malos representantes o simplemente de no
tener ninguno[237].

A pesar de las supuestas diferencias personales que existían entre
las Reinas, sus antecedentes eran notablemente similares. Ambas venían de orígenes humildes, tenían fama de vivir cantando por el barrio
cuando niñas y habían ganado concursos radiales que habían dado sen-
dos empujones a sus carreras.

Las similitudes terminaban ahí. Lupe venía del campo y conservó
siempre esa humildad innata de los que nacen en una zona rural. Además triunfó de una vez en su vocación y puede ser que todo le llegó demasiado fácil en su vida artística.

Celia es Habananera y se la percibe como un poco distante en el
trato que tiene con los músicos.

La realidad era otra. Cruz era sumamente profesional y dedicada
a su trabajo e, inclusive, a las faenas de su hogar. Era muy manejable
y siempre buscaba la manera de encontrar acomodo aun en las situa-

---

237 Entrevista a Héctor Maisonave, junio de 2002.

ciones más difíciles. Además, al contrario de Lupe, en un principio a Celia Cruz le costó ganarse el cariño del público, lo que tal vez hizo que ella apreciara sus logros mucho más cuando los conquistó[238]. Más importante aún, Cruz siempre encontró espacio en su carrera para las contribuciones y la sapiencia de su marido Pedro Knight, algo que fue sumamente difícil para La Lupe.

Mientras que en su vida personal Celia Cruz ha sido siempre un dechado de profesionalismo, el comportamiento excéntrico y agresivo de Lupe la conducía indefectiblemente a los enfrentamientos. Era un accidente a punto de suceder.

Si hubiera que trazar una diferencia entre Celia Cruz y La Lupe comenta Izzy Sanabria, diría en resumen que las dos eran cantantes sumamente talentosas, pero que si Celia canta con la garganta, La Lupe cantaba desde sus entrañas[239].

Luego de una entrevista con una publicación[240] neoyorquina, Latin New York Magazine, donde se iba a promocionar el lanzamiento de *La Pareja*, La Lupe pasó por el peor momento de su ilustre carrera.

Al término de la entrevista Lupe había subido a su automóvil y se alistaba para marcharse cuando la entrevistadora vino a despedirse. La conversación era informal y la periodista le preguntó a Lupe si Celia Cruz era *santera*.

Lupe respondió con soltura y medio en broma: No, el *palero*[241] de esa casa es Pedro, refiriéndose al esposo de Celia, Pedro Knight.

---

238 Celia Cruz reemplazó a la cantante puertorriqueña Myrta Silva, quien fue extremadamente popular en su tiempo. Las comparaciones hicieron que el arranque fuera muy duro para Celia, que apenas tenía 24 años.

239 Conversación con Míster Salsa, 17 de febrero de 2003.

240 Latin New York era el nombre de la popular revista de farándula, publicada por Míster Salsa, Izzy Sanabria, entre finales de los setenta y principios de los ochenta.

241 Un *palero* es un maestro profesional de la *santería*.

El comentario sirvió de titular, La Lupe acusa a Pedro Knight de brujo, y Celia Cruz se sintió seriamente ofendida. Primero fue a la oficina de Ray Avilés y Ralph Mercado y después a la de Jerry Masucci y los conminó tajantemente: o Lupe o ella[242].

La Lupe estaba en un aprieto. Fue a suplicarles, especialmente a Mercado, con quien ya había tenido unas memorables peleas a grito herido[243], y le rogó a Masucci que fuera a hablar con la señora Cruz, pero de nada le sirvió. Le dijeron que no había necesidad de hablar con la otra y que ella ya no sería parte del plan de promoción.

A partir de ese momento no iba a haber más trabajo para Lupe en la ciudad de Nueva York. Era una reina sin contrato de grabación, sin sello disquero, sin representante y con fama de pendenciera. No había futuro para La Lupe en el negocio de la música latina y sus perspectivas eran prácticamente nulas.

Lupe sintió que Nueva York empezaba a agobiarla y que quizás estaba siendo desagradecida con *la Reina de la Canción Latina*. Tomó a su hija Rainbow, a la sazón de cinco años de edad, y volaron a Puerto Rico en busca de prados más verdes. A los 45 años La Lupe estaba acabada y se veía obligada a abandonar su reino.

En Puerto Rico fue más de lo mismo

La Lupe empacó todas sus pertenencias y enfiló rumbo a la Isla del Encanto, Puerto Rico, donde siempre la habían tratado como a una hija adoptiva.

---

242 Entrevista a Johnny Surita, 13 de agosto de 2002.

243 Es de amplio conocimiento que Lupe y Mercado tuvieron una relación que pasaba de fría a caliente, y que a lo largo del tiempo tuvieron algunas discusiones públicas muy acaloradas.

Lupe quería mucho a Puerto Rico. Cantaba como un pajarito cuando llegaba a la isla y lloraba todo el camino de vuelta a su casa en Nueva Jersey[244].

Eddie Miró entrevista a La Lupe para El show de las 12 en Puerto Rico.

Esta vez era diferente. Lupe, acompañada de su pequeña hija Rainbow, salió de Nueva York en abril de 1980, prácticamente en las mismas condiciones en que había salido de Cuba 20 años atrás: sin saber a dónde ir, salvo que esta vez la belleza y la juventud ya no eran sus aliadas.

Lupe empacó 20 maletas grandes para Puerto Rico, incluyendo sus venerados *santos* y sus instrumentos de *hechicería*, así como los discos de oro que simbolizaban sus triunfos musicales.

Era una historia triste. Después de una veintena de discos de larga duración y una colección de discos de oro, y tras alcanzar la fama y la fortuna como la Yiyiyi y *la Reina de la Canción Latina*, la incontenible La Lupe era ya el recuerdo desvalido de su celebridad, lejos aún de cumplir los cincuenta años.

Cuando La Lupe llegó a Puerto Rico, traía suficiente equipaje para cargar un camión. Había pagado 500 dólares de exceso de equipaje en el Aeropuerto Internacional John F. Kennedy de Nueva York y al

---

244 Entrevista a Johnny Surita, 8 de agosto de 2002.

llegar al Aeropuerto Internacional de Isla Verde[245] eran muy pocos los
que habían visto a una persona viajar con tal cantidad de equipaje pesado.

Me miraban como si estuviera loca, pensando tal vez que traía piedras en el equipaje. Iban alzando una por una mis maletas, todas llenas de *santos* y artículos religiosos y demás. Me las llevaron y yo les di
propina[246].

*El cantante Ismael Miranda,
un querido amigo de Lupe Yolí.*

La Reina de la Canción Latina y
su hija se hospedaron en los mejores
hoteles de la isla. Una vez tras otra,
cuando las camareras reportaban lo
que llevaba en las maletas, la geren-
cia del hotel le pedía que se mudara.
Tras ensayar varios hoteles de la zona
de Isla Verde y gastar una considerable suma de dinero, La Lupe resolvió
llamar al cantante Ismael Miranda,
un buen amigo de Nueva York, que
luego de trasladarse a Puerto Rico
había invertido con tino y prospera-
do en el negocio de bienes raíces.

Recuerdo el día cuenta Miranda. Lupe era realmente importante
para mí. Era una de las buenas personas en el mundo del espectáculo.
Tenía bellos sentimientos y siempre estaba dispuesta a ayudar a la gente.

Entró a mi oficina y se puso a llorar. Yo había estado en la religión
en Nueva York, pero después le devolví mis *collares* a mi *padrino*. Le

245 Ahora se llama Aeropuerto Internacional Luis Muñoz Marín, en memoria del primer go-
bernador elegido por el pueblo de Puerto Rico en 1950.

246 Tomado del testimonio de Lupe Yolí, 1989.

dije: Lupe, tienes que dejar los santos si no quieres que te maten. Ella se puso furibunda conmigo y me atacó, uñas al aire y todo.

Cuando se calmó llamé a un amigo mío y le conseguí un apartamento en Isla Verde, frente a la playa. Era un buen sitio para ella y teníamos la esperanza de que su situación se estabilizara y que ella se orientara con ese inmenso talento que tenía. Eso nunca ocurrió[247].

En Puerto Rico La Lupe se presentó en diversos programas de televisión y hasta participó en conciertos, pero sus problemas de Nueva York la habían seguido hasta allí y los columnistas de chismes se daban un festín con las historias que les venían de esa ciudad, cuando no andaban inventando otras a su amaño.

El propio comportamiento de La Lupe no ayudaba. Le encantaba la vida bohemia y Puerto Rico estaba hecho a la medida para la vida nocturna, especialmente en la década de los ochenta.

Durante su estadía en la isla, La Lupe, cuyas presentaciones eran consideradas estelares pocos años atrás, ahora era víctima de la mala prensa que a todas horas la asediaba y de una reputación que la precedía como un mal presagio. Esta vez Puerto Rico no estaba siendo bueno con La Lupe.

Johnny Surita recuerda: Ella no era la misma. Le preguntaba: Lupe, ¿qué pasa con tu actuación? Y ella me respondía: Ya no la siento[248].

---

247 Entrevista a Ismael Miranda, 8 de agosto de 2002.

248 Entrevista a Johnny Surita, 14 de agosto de 2002.

Los problemas personales de Lupe acabaron por afectar sus presentaciones. Éstas ya no tenían la potencia a la cual el público estaba acostumbrado, y el caos en que se había convertido su vida no le permitía actuar a la altura de *la Reina de la Canción Latina*. El alma de Lupe estaba vacía y ese vacío se traslucía en sus salidas.

Con muy poco trabajo y cero perspectivas de un contrato disquero, Lupe Yolí se estaba quedando corta de dinero. Una vez más, gastaba mucho más de lo que ganaba, y quebró en poco tiempo.

Una noche me llamó el amigo propietario del apartamento que Lupe tomaba en alquiler recuerda Ismael Miranda. La llamada me dejó intranquilo y enseguida subí al auto y fui hasta Isla Verde[249].

Cuando llegué, mi amigo y un grupo de residentes estaban muy preocupados por un fuerte olor a podrido que salía del apartamento de La Lupe. El olor era tan fuerte que temimos lo peor y forzamos la puerta. Para nuestra sorpresa descubrimos que una tortuga grande, de las que usan los *santeros*, había muerto, y de ahí venía la fetidez[250].

Lupe había ido a visitar a una amiga en Los Ángeles, una zona urbana situada enfrente del aeropuerto de Isla Verde. La amiga era *santera* y Lupe pasó un par de semanas en su casa. La tortuga murió en ese lapso[251].

Después de unas semanas tuvimos que sacar la ropa de ella y desocupar el apartamento. Dejé a Lupe en casa de unos amigos y tuve la sensación de que como artista y quizás como persona, ella ya estaba sentenciada[252].

---

249 Entrevista a Ismael Miranda, 8 de agosto de 2002.

250 Ibíd. Los santeros beben el agua donde viven las tortugas como parte de los ritos de la santería.

251 Estas tortugas pueden vivir durante meses sin alimentación, aunque no pasó así con la de Lupe.

252 Ibíd.

Nilda Portillo, abuela de Rainbow y madre de Mario DiFrisco, recuerda aquella época:

Yo ya sabía de Lupe por conducto de Nueva York, pero al principio no me agradó por lo de su relación con mi hijo, que era mucho más joven que ella. Con el tiempo resolvimos nuestras diferencias y nos hicimos buenas amigas. Ella era muy buena persona, una persona muy espiritual y generosa. Tuve la oportunidad de viajar con ella como su secretaria, de verla en acción, y me pareció verdaderamente especial[253]

Ella no tenía mucho trabajo en Puerto Rico en ese momento, pero se aseguró de que su hija supiera que yo era su abuela. Es una relación que hemos sostenido a lo largo del tiempo y algo que le voy a deber por siempre a Lupe[254].

A Lupe le quedaba muy poco dinero y había empezado a vender sus alhajas para poder comer. Corrían tiempos difíciles para *la Reina de la Canción Latina*, hasta al punto que a veces se acostaba con hambre.

Había conocido a un hombre llamado Danilo, un buscavidas, de quien se hizo amiga. Él era oriundo de República Dominicana y vino a Puerto Rico a hacer trabajos ocasionales. Empezó a visitar mucho a mi madre. Cuando tuvimos que dejar el apartamento de Isla Verde, por pura necesidad nos mudamos a vivir con él a un apartamento pequeño en Santurce[255].

Recuerdo a Danilo. Era muy abusivo con mi madre. Estábamos pobrísimas en ese tiempo y mi madre me ocultaba la situación, tratando de ser la mejor madre posible. Yo jamás me acosté con hambre y ella se aseguraba de que tuviera que comer, aunque no estoy segura de que ella comiera todos los días[256].

---

253 Entrevista a Nilda Portillo, 26 de julio de 2002.

254 Ibíd.

255 Entrevista a Rainbow García, 16 de julio de 2002.

256 Ibíd.

Danilo sólo estaba interesado en la fama y el dinero de Lupe, que ella compartía desprendidamente con todo el que se mostrara amable con ella. Cuando el dinero se acabó, los padrinos y casi todos los amigos la abandonaron. Fue lo único bueno que le sucedió a Lupe en muchos años. Los santos por fin la habían abandonado.

Lupe misma tenía ahora tiempo de sobra para reflexionar y empezó a cuestionar la religión y el dominio que esta ejercía sobre ella. Se cuestionaba, pero volvía a entrarle miedo de las consecuencias, así que regresaba a sus viejos hábitos y seguía practicando los ritos y la religión.

Danilo maltrataba a mi madre y le pegaba. Una tarde después de una golpiza ella empezó a tirar los caracoles, preguntándoles si se debía ir de Puerto Rico. Cuatro veces los echó, cuatro veces le dijeron que no debía irse[257].

Esta vez la decisión fue tomada por una autoridad superior a los santos: la responsabilidad de Lupe como madre.

Estando en Puerto Rico, Lupe recibió una llamada de su madre, Paula, quien le pidió que regresara a Nueva York por René, porque ella se regresaba a Cuba.

Mi madre reunió nuestras cosas y fuimos al aeropuerto. Era la primera vez que desobedecía a los santos. Antes de darnos cuenta ya estábamos en el apartamento de mi abuela, en el 241 de la avenida Waldo, en Englewood, Nueva Jersey[258].

---

257 Ibíd.

258 Ibíd.

Capítulo VII

Renacida de las cenizas

Yo vivo en paz con los hombres
y en guerra con mis entrañas
Antonio Machado, 1917

Lupe regresó a Nueva York y fue directamente al apartamento de su madre.

Paula Raymond en 1982.

La decisión de Paula había herido profundamente a Lupe, que ahora sentía que hasta su propia madre la abandonaba.

Para hacer justicia a Paula, hay que decir que había pasado mucho tiempo en Estados Unidos y le había servido bien a su hija, criando prácticamente a René por cuenta propia mientras Lupe se dedicaba a su profesión.

Además, los problemas existenciales de Lupe, en especial su relación con los *santos* y la falta total de control sobre su vida, habían afectado a Paula, que a pesar del amor que le tenía a su hija no se sentía capaz de quedarse a ver cómo se derrumbaba.

También tenía nietos en Cuba a los que nunca había visto y decidió que era hora de volver a la madre patria.

Lupe descubrió asimismo que en el tiempo que había estado ausente, su madre había experimentado una honda transformación espiritual

Mi madre siempre había sido *espiritista*, pero ahora era una cristiana devota. Yo empecé a ir con ella a la iglesia y me di cuenta de que las palabras tenían un efecto calmante, y a veces me ponían a temblar. Mi madre me pedía que pasara al frente y reconociera a Cristo como mi salvador, pero yo no me atrevía, ya que la voz de los espíritus siempre estaba ahí para disuadirme[259].

Aunque Lupe trató de convencer a Paula de que se quedara en Nueva Jersey, ésta ya había tomado la decisión. Era cuestión de tiempo: sabía que su madre regresaría a Cuba.

Lupe visitó a un famoso *babalawo* de Elizabeth, Nueva Jersey, en busca de consejo sobre la inminente confiscación hipotecaria de su mansión. La respuesta del *babalawo* a esta consulta de Lupe fue: *Ochún* dice que ella no es tonta y que no dejará que nadie te quite la casa[260].

La siempre crédula Lupe fue a su residencia en Englewood Cliffs y se encontró con que su hogar, donde no había estado desde que salió para Puerto Rico, había sufrido considerables daños por inundación, debido a una tubería rota.

Fue en la mitad de un invierno muy frío cuando llegamos a la casa. Parece que mi madre había cerrado las tuberías cuando salió para Puerto Rico. Por el frío los tubos se rompieron y el agua se congeló dentro de la casa, dándole un aspecto de pista de patinaje. Ella le echó mano a otro montón de *santos* y algunos discos de oro y salió por la puerta. No regresó jamás[261].

No importaba, pues tal parece que la oficina del alguacil hizo caso omiso del consejo del *babalawo* y la hipoteca sobre la mansión de Lupe fue ejecutada en 1984.

Lupe voló a Miami y se reunió con José Camaño, el padre de René, para pedirle que se hiciera cargo del muchacho, que era ahora un

---

259 Tomado del testimonio de Lupe Yolí, 1989.

260 Ibíd.

261 Entrevista a René Camaño, 14 de agosto de 2002.

adolescente y se estaba volviendo muy rebelde, más que todo debido a la situación por la que pasaba su madre.

José estaba recién casado y su mujer no consintió en incluir al hijo de La Lupe dentro de la relación. Frustrada, La Lupe regresó a Nueva York con su hijo.

René recuerda ese momento: Fue la última vez que vi a mi padre. Fue un trance muy difícil para mí. Yo quería a mi madre inmensamente, pero era muy duro ver en lo que se había convertido y cómo las personas se aprovechaban de ella. Decidí que si mi padre no me quería tener con él, yo tenía la edad suficiente para vivir mi vida solo. Yo tenía apenas 16 años y no sabía que eso no era así[262].

En febrero de 1983 Paula Raymond partió para Cuba, dejando atrás a su hija Lupe Yolí y a sus nietos René y Rainbow.

Lupe no perdió tiempo. Vendió su último anillo y arrendó un modesto apartamento en el 723 de la Avenida Fort Washington, en la sección de Washington Heights de Manhattan. Ya para entonces Lupe Yolí era beneficiaria del Programa de Asistencia Social: y atravesaba por la peor crisis económica de su vida, situación a la que todavía le faltaba empeorar.

Ya instalada en el apartamento 3C, Lupe trajo todas sus pertenencias y se trasteó con Rainbow. René fue a vivir con unos amigos.

Rainbow, que contaba escasamente con ocho años de edad, rememora aquél entonces:

Mamá siempre se mostraba muy positiva, cantaba mientras hacía la limpieza y arreglaba el apartamento, aunque yo sabía que por dentro le dolía. Mi hermano fue a vivir a otro apartamento con unos amigos y mi madre no tenía trabajo. Pasaba largas horas enviando una carta que había escrito a los propietarios de clubes y llamando por teléfono

---

262 Ibíd.

a agentes y productores, tratando de conseguir trabajo. De nada le servía, pues las ofertas de trabajo que, en el pasado le llovían, ahora no
aparecían y la poca que había no era por el salario que ella estaba acostumbrada a recibir. Estábamos en apuros, pero el amor de ella por mi
hermano y por mí siempre estaba presente[263].

La demanda musical por La Lupe se había agotado y, a pesar de su
celebridad, ahora, nuevamente, tendría que empezar de nuevo. Igno-
rando las circunstancias, La Lupe, una mujer que se caracterizó por un
tesón increíble, comenzó a preparar nuevas canciones para su retorno
artístico, poniendo toda se fe y esperanza en que su retorno a los escenarios estaba por llegar. Trabajó durante largas horas, día y noche,
componiendo un nuevo repertorio.

Dependiente de los cheques de la asistencia pública y las estampi-
llas de alimentos, Lupe pasaba por la peor época de su vida. Vivía de
un invariable régimen de huevos con arroz, y Rainbow por su parte ce-
naba una lata de macarrones con carne casi todas las noches.

Llevada por la desesperación, Lupe empezó a buscar otras fuentes
de ingresos y se matriculó en el Herbert Lehman College en el Bronx,
con el único propósito de recibir ayuda económica.

Como era buena estudiante, Lupe logró obtener un Grado Asocia-
do (Associate Degree) de la institución, a pesar de ser la hazmerreír de
muchos estudiantes que no podían entender su difícil situación y pensaban que estaba loca.

El abogado puertorriqueño Juan Ramón Acevedo era profesor en
el Lehman College y recuerda a la estudiante Lupe Yolí:

Solía sentarse en el primer pupitre, frente a mí. No intervenía mucho pero era muy atenta. Quería aprender. Como persona era muy

---

263 Entrevista a Rainbow García, 14 de agosto de 2002.

normal y no sacaba a relucir su situación o quién era. Le di una A de calificación por sus esfuerzos[264].

El abogado Juan Ramón Acevedo fue profesor de Lupe en el Lehman College.

Corría el invierno de 1983 y Lupe no perdía la fe en que su carrera de alguna forma volvería a encarrilarse. Todavía continuaba componiendo nuevas canciones, en espera del momento de su regreso triunfal al mundo de la música. Lo único que necesitaba era la oportunidad correcta, pensaba ella, y todo volvería a ser normal para *la Reina de la Canción Latina*.

En efecto, la cantante vetada continuaba enviando cartas, todas éstas gestas infructuosas, a los promotores en busca de una nueva oportunidad. Había estado por fuera del negocio bastante tiempo y las posibilidades sencillamente eran irrisorias.

Era en verdad inverosímil: la artista más taquillera de su época, joven aún y con la capacidad de seguir siendo la mejor, tenía que ofrecerse en venta de quemazón al mismo mercado que la había hecho *Reina*.

---

264 Entrevista a Juan Ramón Acevedo, 30 de agosto de 2002, en San Juan, Puerto Rico.

723 West 177th Street #B4
New York, NY 10033

                                        Date:

To:

Dear Promoter/Club Owner:

"Memories are beautiful and lingering, but time continues to pass before
us, and one must be in preparation for all of the tomorrows to come. Yet
those memories merged with the ones waiting in the wings to surface, can
add new dimensions for all to enjoy. Especially, more if the dimensions
are being transmitted to the Latin(Salsa) Music World, by none other than
La Lupe, The Indestructible Queen Of Latin Soul Music. "Yes, La YiYiYi, La
Lupe, who does it to perfection, in HER unique style with gusto, feeling
every beat of the RHYTHM throughout HER body".

        Paging all promoters/club owners of the Big Apple, guess who's back
with more excitement than Mount St. Helene? "Yes, you guessed it LA LUPE,
THE VOLCANO OF SALSA.

        I've been preparing my SHOWCASE to a degree of enlightenment, for my
devoted admirers and new ones to come. Everything from Spicy mambo's to
up-beat ballards sung in Spanish/English, in a manner only born out of me,
La YiYiYi, besides my movements expressing my soul11111111111111111111111.

        I'm now available for engagements by simply calling my direct-line at
1-212 543-1143. Believe me, the best is yet to come, and what's so marvelous,
is that it's only a few finger strokes away.

                FONDEST ADMIRATION TO ALL, FROM YOUR QUEEN.........

                                        Sincerely yours,

                                        La Lupe, alias Ms. Lupe Yoli

"OH MY GOD, HOW BEAUTIFUL DID THIS LETTER TURNED-OUT TO BE".......AHAHAHAHAHNAMA
                                                                  YIYIYI

*Con esta carta La Lupe trató de vender su espectáculo a promotores
y clubes. Recibió muy pocas ofertas y los que la llamaban querían que
trabajara prácticamente por nada. La era de La Lupe había llegado a
una conclusión inesperada.*

El texto de la carta es:

Estimado promotor/propietario de club:

Los recuerdos son bellos y perduran, pero el tiempo sigue pasando ante nosotros y debemos prepararnos para todos los mañanas que vendrán. Sin embargo, esos recuerdos, si se combinan con los que esperan tras bambalinas por salir a la luz, pueden añadir nuevas dimensiones que todos podemos disfrutar. Todavía más si las dimensiones son trasmitidas al mundo de la música latina (salsa) por La Lupe en persona, la indestructible Reina de la Música Latina. Sí, la Yiyiyi, La Lupe, que lo hace a la perfección en SU estilo único y con todo el sabor, sintiendo todo el calor del RITMO por SU cuerpo.

Llamando a todos los promotores / propietarios de clubes de la Gran Manzana, adivinen quién ha vuelto con más excitación que el volcán Santa Helena. Sí, han acertado: LA LUPE, EL VOLCAN DE LA SALSA.

He venido preparando lo MÁS SELECTO hasta el punto de la iluminación, para mis admiradores y los que están por venir. Desde mambos PICANTES hasta baladas animadas cantadas en español / inglés, en un estilo que sólo me nace a mí, la Yiyiyi, junto con mis movimientos, expresión de mi almaaaaaaaaaaa.

Estoy disponible para reservaciones y compromisos con sólo llamar a mi línea directa en el 1-212 543-1143. Créanme, todavía falta lo mejor, y lo más maravilloso es que está a unos pocos movimientos del dedo.

LA MÁS SENTIDA ADMIRACIÓN PARA TODOS, DE SU REINA...
                              La Lupe, alias Ms. Lupe Yolí

Dios mío, que bonita me salió esta carta.... AHAHAHAHAHANAMA
                                                YIYIYI

Un nuevo año trae dolor y tristeza

Los *santeros* acostumbran tener sus casas impecables para recibir el año nuevo, y Lupe, siguiendo la tradición, arreglaba su hogar para el año que se avecinaba.

Era el 31 de diciembre de 1984, y tras un año de penas y aprietos económicos, tanto Lupe como Rainbow esperaban con ilusión el año venidero.

René recuerda: Yo me había ido de la casa y hacía lo que creía que había que hacer para ser un varón. Me dediqué a mis propios negocios y pasaba bastante tiempo cn las calles. Con frecuencia visitaba a mi madre y mi hermana. Me dolía ver cómo estaban viviendo, una mujer tan acostumbrada a tener lo mejor, estaba viviendo en una situación sumamente penosa. Mi madre, sin embargo, era una mujer de gran temple y siempre les ponía buena cara a las peores situaciones y había hecho lo mejor con el apartamento donde vivía con Rainbow, decorándolo muy bien y creando un ambiente cómodo para ella y mi hermana.

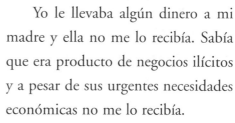

Yo le llevaba algún dinero a mi madre y ella no me lo recibía. Sabía que era producto de negocios ilícitos y a pesar de sus urgentes necesidades económicas no me lo recibía.

Nuestra relación se agrió por esa actitud, pero con el tiempo aprendí a respetarla[265].

La Lupe en su apogeo. La sonrisa contagiosa y la actitud jovial eran rasgos distintivos de la diva.

265 Entrevista a René Camaño, 14 de agosto de 2002.

Habíamos estado limpiando todo el día recuerda Rainbow y teníamos decorado el apartamento esperando el Año Nuevo. Yo estaba jugando por la casa cuando una de las cortinas de pronto se soltó de la ventana[266].

Mamá me pidió que le sostuviera una mesa mientras ella se encaramaba a arreglar la cortina. Pero cayó al suelo y se lastimó la espalda. La lesión fue tan grave que nunca pudo recuperarse[267].

Ahora Lupe tenía problemas que exacerbaban su precaria situación, la lesión en su espalda casi no le permitía caminar y el hecho de haber sufrido la lesión en invierno empeoraba las cosas. El tiempo frío no ayudaba, ella se sentía terrible y el dolor le dificultaba a Lupe hasta las tareas más fáciles.

Haciendo caso omiso, Lupe siguió asistiendo a clases pues no podía darse el lujo de salirse y perder la subvención económica. Ahora caminaba con la ayuda de un bastón y vivía medicada constantemente con una dosis de Tylenol con codeína para eliminar el dolor de la espalda… y de su alma.

Pasaron unos meses y una noche un dolor insoportable despertó a Lupe. Cuando buscó los analgésicos notó milagrosamente que su cama se había incendiado. Lupe y Rainbow tuvieron suerte de escapar, pero todo lo que les quedaba en el mundo, incluidos los santos y los discos de oro de Lupe, su ropa y las hojas de música en que estaba trabajando, se perdió en el siniestro.

Lupe quedó sin nada en un episodio que marcó efectivamente el fin de La Lupe, *Reina de la Canción Latina*, y dio comienzo al renacimiento de Lupe Victoria Yolí Raymond, o la nueva Lupe.

---

266 Entrevista a Rainbow García, 14 de agosto de 2002.

267 Ibíd.

*La Lupe y Rainbow
en el día del grado
de esta última.*

En una silla de ruedas, Lupe por fin se yergue

Lupe y Rainbow quedaron en la calle, en la mitad de un frío invierno y sólo con la ropa que tenían puesta. Mientras observaban angustiadas cómo se consumía su apartamento, y en este todas sus pertenencias, se preguntaban por qué su apartamento fue el único en incendiarse dentro de todo el edificio.

En su testimonio, Lupe recuerda aquella noche: Los vecinos nos miraban con cara de enojo. En vez de compadecerse de nuestra situación estaban molestos, pensando que nosotras habíamos causado el incendio[268].

Una investigación reveló posteriormente que el incendio se suscitó debido a una falla eléctrica en el apartamento de Lupe.

---

268 Tomado del testimonio de Lupe Yolí, 1989.

Esa noche la Cruz Roja llevó a Lupe y Rainbow a un hotel para que pasaran la noche. El hotel no era de los que solía visitar Lupe. Situado en la calle Chambers de Manhattan, estaba ocupado principalmente por vagos y prostitutas.

La ciudad les suministró algunos vales de comida; y como tenían hambre y frío fueron a un restaurante chino. El dueño, intuyendo que ellas no eran de la zona, les preguntó qué había sucedido. Cuando Lupe le contó la historia, les recomendó cerrar con llave la puerta de la habitación y colocar la cama contra la puerta. También les dio instrucciones de no abrirle la puerta a nadie, pues estaban en una zona muy peligrosa.

Presa del pánico, Lupe obedeció las instrucciones y pasó los dos días siguientes en un encierro total, con la sola compañía de su hija Rainbow.

Cuarenta y ocho horas después nos mudaron a un albergue situado en el 22 de Fox Street, en el South Bronx. Era un mal lugar, pero mucho mejor que el hotel de Manhattan[269].

Su apartamento en el albergue quedaba en el cuarto piso de un edificio sin ascensor. Subir y bajar las escaleras estaba acabando con la espalda de Lupe, y la falta de atención médica pronto le generó un caso grave de escoliosis.

René se acuerda: Incluso en el albergue, mi madre mantenía muy pulcro el apartamento. Yo me había casado y tenía una niñita y visitaba con frecuencia a mi madre. Ser abuela le aliviaba algo el dolor o se lo disfrazaba por lo menos. A pesar de estar en la indigencia, siempre tenía un regalito para mi hija.

Pero ni esa felicidad duró, pues mi hija murió a la edad de dos años y ese fue un golpe terrible para mi madre.

---

269 Entrevista a Rainbow García, 14 de agosto de 2002.

Capítulo VIII

Se redime un espíritu

No digo haber controlado los acontecimientos, pero confieso llanamente que los acontecimientos me han controlado a mí.

Abraham Lincoln, 4/4/1864

El estado de la columna vertebral de Lupe continuaba deteriorándose a pasos rápidos. Estaba adolorida todo el tiempo, y desesperada, y visitaba sin parar una serie de hospitales buscando tratamientos alternativos. No obstante, estos eran limitados debido a su precaria situación económica y al hecho de que carecía de seguro médico.

El alojamiento en el albergue frustraba a Lupe aún más de lo que dejaba ver. Tenía tiempo suficiente para reflexionar sobre su vida y lo que le había ocurrido a *la Reina de la Canción Latina*, ahora casi olvidada.

Lupe conversaba conmigo y se asombraba de cómo pocos años atrás no podía pasearse por la calle ni mucho menos entrar a un supermercado o un restaurante sin ser asediada por los fanáticos. Ahora podía entrar a cualquier tienda y nadie se percataba de ella[270]. La reina se sentía totalmente olvidada.

Se acercaba un nuevo semestre académico y Lupe acudió a la Oficina de Ayuda Financiera del Lehman College, buscando fondos para regresar a los estudios. En su testimonio expresó lo que sintió en aquel momento:

Fui a ver a Míster Lockland, un funcionario de apoyo financiero que hizo comentarios sobre mi situación. Dijo que yo tenía la peor suerte de todas las personas que él había conocido. Se burlaba de mí, me daba cuenta, pero yo tenía que echar para adelante y así lo hice, sin importar las burlas sobre mi condición[271].

---

270 Entrevista a Johnny Surita, 14 de agosto de 2002.

271 Tomado del testimonio de Lupe Yolí, 1989.

Continúa Lupe: Hasta mi amiga la doctora Figgle, que me daba las prescripciones para los analgésicos que estaba tomando, me dijo que no podía recetarme ya más porque estaba poniendo en riesgo su licencia médica. Nada de eso le hubiera sucedido a La Lupe, pero ahora yo era una persona cualquiera. La doctora Figgle me sugirió que fuera al hospital Mount Sinai y me operara la columna.

Yo ya no era *la Reina de la Canción Latina*, pero sí la reina de los hospitales. Visitaba el Saint Luke, el Presbyterian, el Lincoln y el Roosevelt, sin contar las muchas salas de emergencia, buscando prescripciones de analgésicos[272].

La Lupe ingresó al hospital Mount Sinai el 1 de enero de 1985 y se operó dos días después.

Al salir del hospital Lupe estaba reducida a una silla de ruedas, incapaz de caminar, mucho menos de cocinar, y Rainbow, que ahora tenía 10 años, quedó a cargo de las labores del hogar.

En febrero de 1986 Lupe y Rainbow fueron finalmente trasladadas a un apartamento de la municipalidad situado en el 575 de la calle 140 Este, apartamento 3E, esquina de la avenida Saint Ann, en El Bronx.

El edificio era reciente, tenía ascensor y le permitía a Lupe más libertad de movimiento. No obstante, estando ahora en silla de ruedas no podía asistir al Lehman College. Tenía que buscarse la manera de reemplazar los cheques de subvención económica que habían dejado de enviarle, para tener con qué vivir.

Un homenaje a la Reina derrocada

Una mañana después de que Rainbow salió para el colegio, a Lupe se le ocurrió hablar sin tapujos con los medios sobre su situación.

---

272 Ibíd.

Como era orgullosa, nunca había pedido ayuda a nadie. Sólo buscaba una nueva oportunidad de trabajo.

Unos meses antes, Conrado Hernández, un reportero del periódico en español el diario/La Prensa había encontrado a Lupe en el albergue de la calle Fox e inmediatamente escribió un reportaje sobre la precaria situación de la antigua diva.

El artículo conmovió a muchos de sus seguidores, que no tenían idea de las deplorables condiciones en que vivía ahora La Lupe.

Cuando las circunstancias de Lupe se divulgaron muchas personas quisieron ayudar, entre ellos un joven llamado Ángel Renée, que organizó una función de beneficio para la antigua reina un sábado por la noche en el salón nocturno Broadway 96, un club latino muy frecuentado, regentado por Ralph Mercado y ubicado en el segundo piso de la esquina de la calle 96 y Broadway, en Manhattan.

El espectáculo se organizó en 10 días.

Una vez más para la Yiyiyi

La Lupe de 1986 no se parecía en nada a la Yiyiyi que todos habían aprendido a querer e idolatrar.

La Lupe visitó el diario-/LA PRENSA en 1986. En esa época vivía en un albergue, pero los artículos publicados en el periódico ayudaron a difundir su historia.

Ahora tenía bastante sobrepeso y estaba en malas condiciones físicas. El tiempo pasado en la silla de ruedas había hecho mella en la curvilínea reina de antaño.

En el mundo del espectáculo se dice que el *show debe continuar*; y la gente ahora estaba más interesada en la función de beneficio que en Lupe. Vestidos, pelucas, joyas de fantasía, todo eso llegaba a nuestra casa con el entusiasmo de los viejos tiempos[273]. Un amigo apodado el Negro[274] aportó el alquiler de una limosina, aunque Lupe quería ese dinero más bien para comprar comida.

El día de la presentación Lupe salió a comprar una faja y, tal vez por el miedo que siempre le había tenido al tren, tropezó, luxándose un tobillo.

Guerrera como siempre, Lupe se puso los zapatos, la peluca y las joyas de fantasía, que le habían traído sus amistades, y entró a la limosina que la llevó hasta el club en la manera a la que estaba acostumbrada *la Reina* de antaño. Únicamente ella sabía, muy hondo, en lo más profundo de su mente y su corazón, que La Lupe hacía tiempo se había ido y que todo lo que le quedaba de la majestuosa diva eran el dolor y el sufrimiento que se habían vuelto rutinarios en su vida.

Buscaba ahora esa esquiva paz interior que había ansiado durante casi toda su vida adulta. El deseo por el glamour del mundo de la farándula ya se había desvanecido.

Al homenaje acudieron miles de personas, atestando el recinto a la espera de su reina. Entretanto, a ella la agobiaban los dolores: la espalda lesionada y el tobillo hinchado limitaban sus movimientos; y al ver el largo tramo de escaleras que tenía que subir para llegar al club pidió socorro divino. Le ayudaron a subir los peldaños y ocupó su mesa

---

273 Entrevista a Rainbow García, 14 de agosto de 2002.

274 Un gran fan. Iba por ahí diciendo que era el último marido de La Lupe, aunque era abiertamente gay.

reservada. Al momento, uno de sus fervientes admiradores le dio una estatua de San Lázaro y 100 dólares para que comprara flores para el santo. Esta vez no, pensó Lupe. Más bien iba a usar el dinero para comprar comida para ella y Rainbow.

Lupe no podía evitar pensar en la banalidad de todo eso. Sabía que la gente ya la había olvidado, y ahora coreaban su nombre, gritaban peticiones, le pedían que cantara, que les presentara una vez más a *la Yiyiyi*.

Olvidaban que Lupe había venido a un homenaje, no a presentarse. En un homenaje, otros interpretan tus canciones. ¿Cómo iban a saber sus fanáticos que ella ni siquiera podía caminar? Pero en realidad era lo apropiado: sólo había una Lupe y nadie podía rendir un homenaje a *la Reina* como *la Reina* misma.

Pasado un rato, *el Rey* Tito Puente hizo su entrada, y Lupe no se le pudo negar. La llevaron en la silla de ruedas hasta el escenario y lentamente se puso de pie, ante una creciente ovación. Comenzó entonces a cantar acompañada por la Orquesta de Tito Puente, en la que sería su última presentación ante una audiencia laica.

Esa noche La Lupe cantó como en sus mejores días, y la fanaticada nuevamente voceaba su nombre pidiendo más. Pocos sabían lo que sentía la destronada Reina en lo más hondo de su alma.

La Reina y el Rey.

Lupe dijo después que en el momento en que subió al escenario oyó el llamado de Dios con toda claridad en su mente y supo que era la última vez que cantaba frente a sus admiradores.

Todos estaban emocionados. La Lupe había vuelto. Los promotores y productores presentes en la función se saboreaban ante la perspectiva de ser los primeros en llevar a *la Reina de la Canción Latina* de regreso al circuito de los conciertos.

Esa noche Lupe recibió 10 000 dólares; y mientras la llevaban a su casa con Rainbow, sentía con certeza en sus entrañas que La Lupe nunca más volvería a cantar.

La edición del diario/LA PRENSA del martes siguiente traía en la primera página una reseña entusiasta de la presentación de La Lupe el sábado anterior.

Ese mismo día su casa fue invadida por seis empresarios artísticos que querían promover conciertos y fiestas con La Lupe. Adicionalmente, un productor de discos apareció con un contrato para una grabación: La Lupe vuelve al mundo.

Lupe les pidió que se marcharan. He aceptado a Cristo y no voy a presentarme más en público. Sufro dolores y mañana me interno en el hospital, les informó. Se había presentado por última vez, había brindado un espectáculo maravilloso y ahora se aprestaba a retirarse estableciendo ella misma las condiciones.

A la mañana siguiente Lupe fue admitida en el hospital Lincoln para un tratamiento de tracción. Después de 12 días fue dada de alta y le recetaron fisioterapias dos veces por semana, los martes y los jueves.

Aunque Lupe había aceptado a Cristo como su salvador en la privacidad de su alma y corazón, todavía no asistía a un templo. Pero un día, después de salir del hospital Lincoln, su vida cambiaría para siempre.

Lloras porque el demonio quiere tu alma

Una tarde mientras esperaba por su sesión de terapia en el hospital, Lupe comenzó a llorar al leer un salmo en su Biblia. En ese momento pasaba por el lugar un joven que repartía escritos religiosos a la gente del hospital

El escrito rezaba: lloras porque el demonio quiere tu alma. Lupe llamó en el acto al joven. Quería asistir al templo; quería saciar el hambre de su alma.

Esa misma tarde el joven en compañía de su esposa y su madre fue a visitar a Lupe, y juntos comenzaron a leer las Escrituras. Al final de la velada, el joven se comprometió a recoger personalmente a Lupe el domingo siguiente y llevarla a la iglesia, llamada *El Fin se Acerca*, la cual no estaba muy lejos del apartamento donde Lupe residía, en el Bronx.

El domingo Lupe se levantó temprano y esperó muy ansiosa. Tras haber aguardado un largo rato empezó a impacientarse. Acabó convenciéndose de que el joven no iba a aparecer. Se suponía que vendrían por ella a las diez de la mañana y ya eran casi las diez y media.

Resultó que el joven tenía que recoger en el aeropuerto a unos parientes que venían de Puerto Rico y no pudo llegar a tiempo donde Lupe.

La situación no desalentó a Lupe, quien le pidió a Rainbow que la llevara en la silla de ruedas hasta la dirección donde quedaba la iglesia.

El templo estaba a unas dos cuadras de la casa. Pasamos por el frente del lugar siete veces, sin encontrarlo. Era como si tuviéramos los ojos tapados. Por fin encontramos el sitio y entramos. En ese instante todo quedó atrás y la vida de mamá cumplió un ciclo completo[275].

El testimonio de Lupe da fe de que en aquel templo encontró la felicidad verdadera. Tenía un nuevo motivo para vivir y había encontrado una nueva vocación.

No pasaba lo mismo con sus dolores físicos, sin embargo. Esta mujer que fuera tan activa estaba ahora reducida a una silla de ruedas. Era doloroso verla.

---

275 Entrevista a Rainbow García, 14 de agosto de 2002.

Mi madre siempre había sido una persona fuerte y dinámica, una mujer muy activa e independiente. Lupe había encontrado un motivo para vivir; un modo de librarse de todas las frustraciones que su vida pasada le había generado. Sin embargo, no podía moverse libremente y eso la hacía sentirse terrible[276].

En el mes de julio de 1986 Lupe fue a consultar con un equipo de doctores del hospital Lincoln. Todos los galenos estaban de acuerdo en que su escoliosis era incurable y que si la operaban podía terminar en peores condiciones. Lupe iba perdiendo la paciencia con aquellos doctores, que le decían que tenía que acostumbrarse al dolor y al hecho de que iba a estar atada a una silla de ruedas por el resto de su vida.

Triste y frustrada, al día siguiente, Lupe regresó al templo a orar y se encontró con el amigo que la había invitado por vez primera. Estando en la iglesia, Lupe se enteró de que Jorge Raschke, un pastor muy popular pero sumamente controvertido de Puerto Rico, iba a estar predicando en el Bronx el fin de semana siguiente.

Lupe y sus nuevos hermanos y hermanas en la fe decidieron asistir. Lo que pasó a continuación sólo se puede calificar de milagroso.

Lupe viajó por todo el Caribe y la Norteamérica latina predicando la palabra de Dios. Aquí asiste a un revivir religioso en Puerto Rico.

276 Ibíd.

Era un miércoles por la noche, y después del sermón, como se suele hacer en estas actividades pentecostales, iba a tener lugar la ceremonia de sanación[277]. Lupe fue trasladada al área donde los enfermos iban a recibir las bendiciones y luego fue subida al tablado.

Tenía miedo dice Lupe en su testimonio. Me llevaron con los inválidos y sentí de repente un pánico interior. Había miles de personas allí y por primera vez sentí temor de una multitud.

El reverendo me preguntó qué tenía y yo le conté. Me puso la mano en la frente y yo caí de espaldas en la tarima. Estuve en el suelo un rato y cuando me preguntaron cómo me sentía me levanté y me puse a dar saltos y a correr. Jesús me dio una nueva columna, una nueva espalda, y entonces pude deshacerme de la silla de ruedas.

Yo había pensado suicidarme y si no lo hice fue porque no encontré cómo. Ya no tenía mi mansión, ni mis autos, ni mi dinero, ni mis visones, y lo que ahora tenía no se podía medir en términos humanos. Aprendí que no importa lo que haces y lo que tienes. Cristo es el único camino, sólo su energía nos puede librar de las tinieblas.[278]

A partir de ese momento Lupe sufrió una transformación total. La mujer que muchos tildaban de posesa, la mujer que tantos habían visto como una bruja y temido por sus bruscos cambios de actitud, había dado vuelta a su vida y ahora se veía feliz y realizada.

Muchos pusieron en duda su transformación y su dedicación. Otros pensaban que iba a ser predicadora y que, al igual que algunos que la precedieron, se iba a volver millonaria explotando el púlpito.

Su amiga de la infancia, Blanca Rosa Gil, a quien Lupe había ayudado a huir de Cuba en los años sesenta, también había ingresado a la

---

277 En estas ceremonias el pastor ora y suele imponer las manos sobre los enfermos. Se dice que muchos se han curado con este método, en tanto que otros dicen que es un fraude.

278 Testimonio de La Lupe.

religión; y ahora le tocó a ella, junto con la cantantc Xiomara Alfaro, a ayudar a Lupe a romper finalmente con las cadenas de la *santería*.

Gil reclutó a su amiga de toda la vida y le sugirió que se volviera pastora, misionera, y predicara la palabra de Dios. Lupe siguió su consejo y otra vez volvió a matricularse, pero esta vez con el propósito de leer la Biblia y estudiar las Escrituras.

Aunque llegó a ser pastora ordenada y miles de personas se convirtieron a la fe debido a sus predicaciones, nunca formó una iglesia y demostró así que muchos se habían equivocado.

Dos músicos que se habían convertido en evangélicos, Richie Ray y Bobby Cruz, convidaron a mamá a que se mudara a Miami. Allá hubiera podido conformar su propia congregación. Pero ella no quería hacer eso. Se veía a sí misma como sirviente y no como líder del rebaño[279].

En el ocaso de la vida Lupe había logrado equilibrar sus finanzas y ganarse el sustento vendiendo casetes del evangelio producidos por ella, así como su testimonio. Vivía de servir a su rebaño y de hacer lo que para ella era el llamado Dios.

Lupe también resistió la tentación de regresar al mundo musical secular, incluso cuando le ofrecieron un jugoso contrato para grabar un disco. Ella lo rechazó de plano.

Por encima de todo, Lupe había encontrado la felicidad; y ante sus propios ojos y su alma era la mujer más rica del planeta. Descubrió que

---

279 Entrevista a Rainbow García, 8 de agosto de 2002.

no necesitaba ya más la adulación de sus admiradores y que de hecho ahora quería estar sola y leer la Biblia, actividad que para ella servía para alimentar el alma.

Cuando iba a visitar a mi madre, me hacía despedirme pronto. Necesitaba su tiempo para orar y leer las Escrituras, que ella disfrutaba más que cualquier otra cosa. Yo no me di cuenta de todo lo que ella había cambiado en ese entonces, pero ahora, con el beneficio de la percepción retrospectiva y de la madurez, puedo apreciar realmente la transformación en la vida de mi madre. De todos los logros de su vida, éste es el que más orgulloso me hace. Saber que ella llegó a la cima en un mundo hecho para los hombres, no importa tanto como comprender que de verdad subió a la cima de su búsqueda espiritual[280].

La inmortalización de Lupe

En la mañana del 29 de febrero de 1992, Lupe Victoria Yolí Raymond falleció en medio del sueño de un ataque cardíaco. Tenía tan sólo 56 años de edad.

Su hija Rainbow, de apenas 17, descubrió el cuerpo y llamó una ambulancia. Al llegar, la unidad de paramédicos trató de revivir a *la Reina*.

Me contaron que lograron revivirla dos veces camino del hospital Lincoln, pero cuando llegaron allí Lupe Victoria Yolí Raymond fue declarada muerta antes de ingresar.

Dos meses antes de su prematura muerte, Lupe Yolí había sufrido un derrame cerebral. Cuando volvió en sí le dijo a su hija Rainbow: He visto a Dios, y si el cielo es como lo que yo vi, no tengo miedo, quiero unirme a Él[281].

---

280 Entrevista a René Camaño, 8 de agosto de 2002.

281 Entrevista a Rainbow García, 8 de agosto de 2002.

Durante ese tiempo Lupe viajó con Rainbow a Miami. Una vez allí se enteraron que Willie García se estaba presentando en un salón nocturno, fueron a verle.

Rainbow recordó el momento. Mamá me llevó a donde él y dijo Willie, conoce a tu hija Rainbow. Luego le dijo en forma jocosa, oye, pero qué calvo te has puesto y él le contestó, y tú, qué gorda, ambos se rieron muchísimo y hablaron. Luego me enteré que mamá trató de reconciliarse con Willie, pero él decidió dejar las cosas como estaban.

Unos meses antes de morir Lupe estuvo hospitalizada y fui a visitarla cuenta Antonia Rey. Me dijo: se que voy a morir y eso está bien, no tengo miedo.

Tal vez Lupe sabía que su tarea estaba terminada y que era hora de partir.

La Lupe y Héctor Lavoe[282] dice Víctor Gallo son tal vez los artistas más difamados en la historia de la música latina. Eran dos almas mansas que amaban su profesión y alcanzaron las cúspides del éxito para después morir en la miscria[283].

A diferencia de Lavoe, la miseria de Lupe sólo puede medirse en términos económicos, y eso sólo en contraste con la riqueza perdida hacía tiempo.

Miles de personas lloraron a *la Reina de la Canción Latina* y miles más lloraron a *la hermana*[284] Lupe Yolí, una mujer que había ascendido a cumbres impensables en su viaje por este mundo.

---

282 Apodado el Cantante de los Cantantes, Héctor Lavoe es una figura de estatura mítica entre los amantes de la *salsa*. Murió arruinado y enfermo en Nueva York después de haber ganado millones de dólares.

283 Entrevista a Víctor Gallo, 26 de febrero de 2002.

284 Los latinos han llamado tradicionalmente *hermanas* a las monjas de la fe católica. El término denota su pertenencia a una comunidad religiosa, una hermandad que no es de parentesco sino en la fe.

No todo el mundo la lloró. Un minuto después de llegar los paramédicos su apartamento fue saqueado y las últimas pertenencias de Lupe fueron robadas sin el menor remordimiento o consideración.

Es justo que al final Lupe partiera como había venido a este mundo, sin nada, excepto que su alma quizás había logrado culminar el largo viaje. Un viaje lleno de dolor, sufrimientos y aflicciones, pero también un viaje de destino y de conquista. Un viaje que vio subir a Lupe Yolí hasta la cima de la montaña, lo que de por sí fue su logro supremo.

Contraportada de La Lupe, la Reina de la Canción Latina, donde la cantante deja una nota personal para sus aficionados. Los anillos y brazaletes son una muestra de la joyería que La Lupe acostumbraba usar.

Capítulo IX
Epílogo

El resurgimiento de
Lupe Victoria Yolí Raymond

Nunca pido disculpas
George Bernard Shaw (1856-1950)

La Lupe fue enterrada en el cementerio Saint Raymond en el Bronx, en una ceremonia a la que asistieron miles de sus seguidores, su familia y muchas de las más encumbradas figuras de la música y el espectáculo, así como políticos y la prensa.

Todo el mundo acudió, incluyendo a quienes le habían dado la espalda en el ocaso de su carrera.

Hasta en la velación se utilizó a La Lupe para obtener lucro económico. El pastor de su congregación se apresuró a recibir a Rainbow en su casa con la promesa de cuidarla. La abuela paterna de Rainbow, Nilda Portillo, había volado desde Puerto Rico para el funeral y tenía planes de llevarse a Rainbow a vivir allí con ella. El pastor se opuso vehementemente a ese proyecto y expresó que le había prometido a Lupe que cuidaría a su hija en el caso de que ella muriera.

Por esos días traté de hablar con Rainbow recuerda René Camaño, pero el reverendo no le quitaba el ojo de encima a mi hermana. Me parecía evidente que algo andaba mal, pero no podía decir con precisión qué era. Yo me había casado y mi vida había dado un giro positivo y creía que lo mejor para mi hermana sería venir a vivir conmigo y mi esposa Charisse. El reverendo se opuso y Rainbow se quedó a vivir con él[285].

Era claro que el reverendo sabía o pensaba por lo menos que había dinero de por medio, acaso en derechos no reclamados y con seguridad en las constantes ventas de las producciones evangélicas de Lupe. Él siguió vendiéndolas después de su muerte, sin dar nunca a sus hijos dinero alguno, al que tenía acceso por ser el guardián de Rainbow.

285 Entrevista a René Camaño, 13 de septiembre de 2002.

Aunque compró un flamante Lincoln Town Car y una casa, el reverendo nunca pudo disfrutar la herencia de La Lupe y murió pocos años después en un terrible accidente automovilístico.

Durante muchos años, los restos de Lupe descansaron en una tumba sin identificación en el cementerio. Muchos decían que se debía a que a sus hijos no les importaba, y algunos hasta se preguntaban si ese era un lugar adecuado para el descanso eterno de *la Reina*. Pero el deseo de Lupe había sido que la enterraran en una tumba anónima y así se lo había manifestado a Rainbow y René.

Mi madre no quería que la idolatraran. También le preocupaba que los *santeros* vinieran a practicar sus ritos sobre su tumba. Más que todo fue el miedo a los *santeros* y esas hechicerías lo que la hizo pedir una tumba sin nombre[286].

Pasaron siete años antes de que su gran admirador Juan Sánchez comenzara una solitaria campaña para hacerle una lápida a la tumba de Lupe. Tras muchas discusiones acabó convenciendo a Rainbow García y René Camaño para que dieran vía a libre al proyecto, y dólar con dólar recogió el dinero suficiente para colocar una bella losa que ahora marca el último lugar de reposo del cuerpo de Lupe Victoria Yolí Raymond, *Reina de la Canción Latina*.

La lápida señala la morada final de una mujer que despertó los sentimientos de miles de personas en todo el mundo, no sólo con sus increíbles talentos musicales sino también con su férrea convicción espiritual. Una mujer que lo dio todo y tomó poco a cambio, un icono de la industria del espectáculo cuyo legado ha soportado airoso la prueba del tiempo.

Aunque sus discos continuaron vendiéndose bien, tras su fallecimiento se la recordaba sólo de pasada. Era parte innegable de la tradi-

---

286 Ibíd.

ción musical latina, pero, como decía Tito Puente, si no te ven, te olvidan[287].

Durante casi ocho años permaneció así la leyenda de La Lupe. Recordada por algunos de sus seguidores, junto con el legado musical que dejó tras de sí. Pero si su recuerdo permanecía en algunos corazones, poco se decía en los medios acerca de la diva.

El 26 de febrero de 2000 una serie de artículos que aparecieron en cuatro días consecutivos en el diario/LA PRENSA volvieron a poner en primer plano el recuerdo de *la Reina de la Canción Latina*. Los artículos conmemoraban el segundo aniversario de su fallecimiento. Lupe murió el 29 de febrero de 1992, un año bisiesto; así que, aunque habían pasado ocho años, ese era apenas el segundo año bisiesto después de su muerte. No faltó quien dijera que hasta después de muerta La Lupe despertaba controversias.

El aniversario de su fallecimiento fue celebrado en la televisión y en programas de radio y su música volvió a salir al aire, espectáculos enteros de radio le fueron dedicados a su vida y rindieron homenaje a su recuerdo, y durante unas semanas la diva fue, nuevamente, tema de conversación.

A la actriz Miriam Colón, que dirige el prestigioso Teatro Rodante Puertorriqueño (TRP), la picó también el recuerdo de La Lupe y se apresuró a comisionar a la dramaturga Carmen Rivera un texto basado en la vida de la gran diva.

Con la presentación de la obra La Lupe: Mi vida, Mi Destino, la historia de la diva volvió a ocupar nuevamente las primeras planas de los periódicos y, más importante aún, revivió una historia de amor que dormía latente en el corazón de muchos de sus ardientes seguidores.

---

287 Out of sight, out of mind: El Rey decía este refrán todo el tiempo, manifestando la preocupación de todos los artistas de ser olvidados una vez se termina su carrera.

La Lupe en escena una vez más

La obra, escrita por Carmen Rivera y dirigida por Luis Caballero, fue protagonizada originalmente por la actriz puertorriqueña Sully Díaz en el papel de La Lupe.

René Camaño, Lauren Vélez y Juan Moreno-Velázquez en la inauguración de La Lupe: mi vida, mi destino en el TRP.

Se presentó durante cuatro meses seguidos en dos versiones, la de lengua inglesa y la española. Fue la primera actividad pública que conmemoraba la vida de la diva después de su deceso, y como tal se constituyó en un suceso de primera línea.

Nadie podía faltar. En ese momento fue el acontecimiento más comentado dentro de la comunidad latina, una obra teatral que todos los latinos querían ver. Los críticos sólo tuvieron buenas reseñas para esa trama que resucitaba a una de las artistas más queridas de nuestro tiempo, quien dejó una huella y un legado que han trascendido las generaciones, puesto que viejos y jóvenes por igual conocen la leyenda y el mito de La Lupe.

Con nueve funciones semanales, cinco en español y cuatro en inglés, La Lupe: Mi Vida, Mi Destino pronto se convirtió en la obra más exitosa en los 35 años de historia del grupo teatral.

Miriam Colón (centro) llega a la inauguración de La Lupe: mi vida, mi destino. Ortilia (Mima) García, la madrina de santo de La Lupe, aparece a la derecha.

Las boleterías agotadas demostraban que la atracción que *la Reina de la Canción Latina* despertaba había permanecido grabada en las mentes de todos los latinos. Es interesante saber que la obra también tuvo éxito entre los anglosajones.

Como prueba del tremendo resurgimiento de la diva, podemos echar una mirada a las menciones sobre La Lupe en Internet. Hoy se pueden encontrar más de 300 entradas sobre Lupe Yolí y su obra, y se agregan más con cada día que pasa; hace apenas dos años, cuando comencé esta investigación, sólo había una entrada sobre La Lupe.

La obra tuvo un enorme éxito económico. Sin embargo, tal como fue con la vida de La Lupe, casi desde la fecha de su inauguración, esta se vio envuelta en controversias.

La primera polémica empezó con una carta publicada en el diario-/LA PRENSA[288], enviada por la respetada escritora y ahora periodista del New York Post, María Guzmán. En ella se decía en términos muy firmes que la actriz Sully Díaz era demasiado blanca para representar a La Lupe, y se indicaba claramente que concederle el papel sería insultar el recuerdo de Lupe y también a la comunidad latina.

---

288 El diario/LA PRENSA es el periódico en español más antiguo de Nueva York, que se comenzó a publicar en 1913.

Se afirmaba además en esa carta que había actrices como Rosy Pérez y Lauren Vélez, por dar sólo dos ejemplos, cuyo color de piel era más acorde para representar a La Lupe, que era mulata.

El alegato no tomaba en consideración el hecho de que Díaz, aunque de tez clara, era también hija de padres puertorriqueños que definitivamente no se podían calificar de blancos.

Al cabo se tomó la decisión de dejar que la calidad actoral dictara si la elección de Díaz había sido sabia.

Díaz era veterana de las tablas, la radio y el cine, y en ciertas coyunturas de su carrera había levantado controversia, pero había ganado el papel en una audición por encima de más de veinte actrices, y su capacidad y profesionalismo eran incuestionables.

Su actuación reencarnando a La Lupe se sostuvo en un nivel de excelencia. El papel de mi vida, como diría después, cuyo desempeño logró la aprobación de la obra y la convirtió en un éxito sin precedentes. Sully Díaz demostró ser magnífica y hasta el presente ha podido rendir la mejor interpretación de la vida de la diva, habiendo conseguido callar fulminantemente a sus críticos con su actuación.

La actuación de Sully Díaz para volver
a darle vida a La Lupe fue admirable.

Díaz se compenetró tanto con su papel, que a veces, como me lo contó personalmente en una de varias entrevistas, sentía que el espíritu de La Lupe estaba conmigo en el escenario. Sentí muchas veces su presencia y era como si Lupe y yo, al salir a escena, nos fundiéramos en una[289].

No obstante, a pesar del regreso triunfal de La Lupe al escenario, en las sombras se agazapaban situaciones destinadas a generar polémicas; y de modo muy similar a como ocurrió con la vida privada de La Lupe, se discutían en un foro abierto al público. Una segunda controversia, que acabaría por empañar la impecable reputación del Teatro Rodante Puertorriqueño, se desarrolló en torno a los derechos de autor sobre la obra.

Pero ese era apenas el comienzo de los problemas. El TRP no se esperaba que la obra fuera a tener tanto éxito y ya tenía comprometido su teatro para otra obra, ¿Quién mató a Héctor Lavoe?, basada también en la vida del famoso Cantante de los Cantantes, un boricua, contemporáneo de La Lupe.

La producción de La Lupe fue suspendida forzosamente mientras se trasladaba a otro teatro, ahora el Theatre 4 en Manhattan, una sala teatral con más capacidad.

El público tardó varias semanas en darse cuenta de que la obra se había trasladado a otra sala, debido principalmente a la pobre estrategia de mercadeo desplegada por el TRP; pero en cuanto se dio cuenta de que la seguían presentando, nuevamente abarrotó las salas.

Si bien La Lupe: mi vida, mi destino fue una obra de mucha aceptación, las piruetas que realizaron tras bambalinas los directores del TRP recordaban los viejos días de La Lupe, para el franco desmerecimiento de una institución tan prestigiosa.

---

289 Entrevista a Sully Díaz, junio de 2002.

*Juan Moreno y Miriam Colón
en una función de La Lupe
en el TRP.*

El teatro no estaba, como es obvio, preparado para la abrumadora popularidad de la obra, y al darse cuenta de que tenían un mega-éxito de taquilla trataron de vender la obra a otras avenidas.

Primero intentaron vendérsela al promotor Ralph Mercado, quien no quiso recibirla porque la autora del texto, Carmen Rivera, amenazaba con demandar a la institución, ya que ésta se negaba a reconocerla como propietaria del guión que había escrito de su propia mano.

Con todo, la peor controversia que surgió con respecto a la obra tuvo que ver con una serie de promesas incumplidas que al parecer se les hicieron a René Camaño y Rainbow García.

Según Camaño y García, el TRP les había prometido un porcentaje de las ganancias brutas por ingresos de taquilla y venta de la parafernalia de La Lupe que se promocionaba en las funciones. Pero los herederos de la afamada diva cubana alegaron que la institución echó reversa en la presunta promesa. El TRP negó terminantemente que haya existido acuerdo alguno con los hijos de La Lupe. Hasta hoy, aparte de un cheque por 1 000 dólares para cada uno que Miriam Colón les giró de su cuenta personal, los herederos de La Lupe no han recibido un centavo del TRP.

La disputa llegó con prontitud a la primera plana del diario/LA PRENSA y Miriam Colón fue tildada por varias personas en el mundo del espectáculo de ser La gran tirana del teatro. Como en los viejos tiempos de La Lupe, alrededor de su nombre volvía a armarse una gresca.

Por otra parte es importante reconocer que tanto la señora Colón como el TRP han sido muy valiosos en el desarrollo de actores y libretistas en Nueva York y que sin sus esfuerzos muchos de nuestros conocidos actores aún estarían en el anonimato.

Un desesperado plan de mercadeo se queda corto

El TRP también trató de vender el espectáculo a varios productores de Puerto Rico, quienes se rehusaron a tomarlo alegando que el TRP pedía una cantidad desmesurada de dinero por él y que en tales circunstancias les iba a ser imposible vender la obra.

Más aún, el teatro empezaba a enfrentar una seria controversia sobre los derechos de autor de la exitosa producción.

Carmen Rivera, autora de la obra y graduada en la escuela de escritores del TRP, había sido contratada para escribir el drama y se le habían pagado 1,000 dólares por sus labores. Así hacen los tratos las pequeñas compañías teatrales, y el TRP asumió que ellos eran los propietarios del manuscrito. En el teatro latino con frecuencia se presentan situaciones como esta, parecidas a las de los músicos del pasado, que vendían sus canciones por centavos sin esperar derechos futuros, derechos que a su vez terminaban en manos de las casas disqueras. En el caso de la transacción sobre el texto de La Lupe se partió de una premisa similar.

Pero esta vez las cosas habían cambiado. La escritora, el director y la actriz sabían que estaban trabajando en algo especial y por consiguiente pidieron a la compañía que les pagara de manera especial.

El TRP alegó haber perdido dinero en la producción y se negó a aumentar el pago a la actriz y el director, afirmando de paso que era propietario absoluto de los derechos de la obra. De manera increíble, hasta el día de hoy el TRP se sostiene en su creencia de que el autor fue apenas una pluma de alquiler contratada para escribir la obra y que por lo tanto ésta pertenece a la organización que comisionó a la escritora.

Como era de esperarse, el teatro perdió la batalla legal y luego de dos años los derechos sobre la obra revirtieron a la autora, Carmen Rivera, junto con 20,000 dólares que el TRP tuvo que pagarle.

Mientras se libraba esta batalla, la actriz Sully Díaz fue substituida también con motivo de la negación del TRP a concederle un aumento. Díaz ganaba unos 1,468 dólares a la semana por 9 funciones en dos idiomas, apenas unos 168 dólares por función.

El director Luis Caballero, a quien se debe la conceptualización de la obra, fue reemplazado también por pedir un aumento; y al poco tiempo se estaba presentando un nuevo espectáculo con Doreen Montalvo en el papel de La Lupe, sustituyendo a Sully Díaz, y Alma Ohms haciendo las veces del director Caballero.

La obra siguió recibiendo el respaldo del público a pesar de las peleas internas y los cambios de guión, actores y directores. Todos tenían que ver a La Lupe y seguían atestando el recinto.

Un musical, La Lupe: La Reina, se inaugura en Puerto Rico

La actriz Sully Díaz no dejó de soñar con interpretar a La Lupe y desarrolló un exitoso musical en Puerto Rico, *La Lupe: La Reina*[290], que se inauguró el 26 de abril de 2002 en el teatro de Bellas Artes de Guaynabo, Puerto Rico.

---

290 Producido y dirigido por Rafael Albertori, esposo de Sully Díaz, la obra es un excelente ejemplo de un sencillo pero bien empleado material musical.

Para darles el merecido crédito, hay que decir que Sully Díaz y su marido Rafael Albertori, quien también dirigió el musical, tomaron en cuenta a los herederos de La Lupe, dándoles un porcentaje del recaudo de taquilla. Lo que es más importante, cumplieron lo prometido.

Es importante anotar que ni el TRP ni Sully Díaz tenían obligación de incluir económicamente a los herederos de La Lupe en sus respectivos proyectos. Pero hacerlo era, simplemente, lo más correcto.

El musical fue, en nuestra opinión, un espectáculo superior a su contrapartida de Nueva York, y ocho meses después comenzó una segunda gira por la isla. La compañía productora presentó el espectáculo en Miami en junio de 2003 y tiene en la mirilla traer la obra a Nueva York.

Como en su apogeo, La Lupe se convirtió en el último grito dentro del negocio del espectáculo, y productores y promotores por igual

Sully Díaz y el autor Juan A. Moreno durante
el estreno de su espectáculo en Puerto Rico.

competían por conseguir materiales que les permitieran llevar la historia al cine. Mientras tanto, empezaron a aparecer documentales, obras de teatro, videos y hasta discos compactos de música, sacando provecho comercial del inesperado resurgimiento de la difunta diva.

Todo lo que llevara el nombre de La Lupe se vendía como pan caliente; y alguien ya se aprestaba a sacar provecho de la fama de Lupe con las oportunidades de mercadeo que conllevaba.

Más libros, música, TV y un viaje a la gran pantalla

La productora cubana Ella Troyano había estado preparando durante años un documental basado en la vida de Lupe Yolí para emitirlo por el canal de televisión pública. Laura Cyre Rodríguez, una cantante y productora puertorriqueña proveniente del Bronx, también ha estado trabajando en la concepción de una película sobre La Lupe. La actriz Lauren Vélez compró los derechos de un guión cinematográfico a Karen Torres, hija del juez Ed Torres, autor de *Carlitos Way*. Por ahora Vélez no ha podido conseguir la financiación de su proyecto, pero me reitera que haré esa película así tenga que matar a alguien. Por último, se está trabajando sobre una versión desarrollada por Alberto Ferreras para HBO.

En Puerto Rico el productor Richie Viera está vendiendo un CD, que si bien es deficiente en cuanto a calidad musical, no por ello ha dejado de atraer a los seguidores de La Lupe y se ha vendido bastante bien. Viera también está vendiendo un video de pésima calidad pero que es uno de los pocos trozos de material fílmico sobre una presentación en vivo de *la Yiyiyi* que se pueden adquirir en el mercado. Aunque estos segmentos no tienen mucho valor musical, darán satisfacción al coleccionista que quiere tenerlo todo lo relacionado a la diva. Viera también está escribiendo un libro, *Carcajada final*, que dará cuenta de la carrera de Lupe a través de sus discos.

Finalmente, en Cuba escribieron un guión muy interesante con el título de Puro Teatro. En él se utilizan nombres ficticios para sustentar el hecho de que se trata de una obra ficticia basada en rumores más que en datos históricos. El valor intrínseco de la historia reside en que se basa justamente en el mito que los intelectuales cubanos han perpetuado sobre La Lupe durante los últimos 40 años, y en tal sentido da para una lectura interesante. No obstante, el contenido está tan alejado de la verdad que también daría para un capítulo de La Isla de la Fantasía.

Todas estas empresas dan fe, en efecto, de la gran atracción que La Lupe ejerce todavía sobre los latinos de todo el mundo.

La manera de La Lupe

Diez años después de su fallecimiento La Lupe finalmente recibe un justo reconocimiento. No sólo las nuevas generaciones han entrado en conocimiento de su leyenda y su mito, sino que su historia ahora se relata.

La Lupe fue sin duda alguna un ser humano dueño de un increíble talento musical, pero igualmente fue una mujer turbulenta y extravagante, con una rara capacidad de amar y un genuino interés en su búsqueda espiritual.

Lupe Victoria Yolí Raymond fue un ser embarcado en una interminable búsqueda del significado y finalidad de su vida, y en eso no fue muy diferente de la mayoría de nosotros.

Cuando la carrera de La Lupe comenzó su caída en picada en 1974, ella padeció una desolación y un abandono como pocos han

experimentado en sus vidas. Pero aun en las épocas más negras buscó
remedio en la espiritualidad.

Sus problemas tuvieron que ver mucho con su temperamento así
como con la falta de una representación adecuada. Aunque la enfermedad de su marido y los extravíos de su búsqueda espiritual, fueron de-
terminantes, lo que casi todos olvidan es que el ámbito musical de
Nueva York cambió drásticamente a comienzos de la década de los setenta, y que las mismas condiciones que hicieron de Lupe una estrella
ya no estaban vigentes. El mercado había cambiado y su música dejó
de ser atractiva para las masas.

*Juan A. Moreno-Velázquez pronunció el discurso de cierre durante el
bautismo de La Lupe Way. Entre el público están la actriz Sully Díaz y
el ex presidente del Condado del Bronx, Freddy Ferrer. En la fila del
frente Joe Cuba, el presidente del Condado del Bronx Alfredo Carrión,
la cantante La India, Rainbow García y René Camaño.*

Si fue una víctima, los culpables no faltan; pero en su mayor parte ella fue responsable de las condiciones que moldearon su vida. Hay que abonarle el hecho de que incluso cuando estuvo en la ruina e incapacitada para trabajar, su espíritu no se dio por vencido, y que a la postre su mayor triunfo fue su propia búsqueda espiritual.

Cuando la música dejó de ser una alternativa, Lupe encontró la religión; y se entregó con igual energía a su aventura espiritual, haciendo de su exploración religiosa el último reto de su vida.

Lupe Victoria Yolí triunfó una vez más en su empresa. Llegó a ser pastora ordenada y congregó a miles de individuos, que como ella se habían sentido vacíos en algún punto de sus vidas, en torno a una nueva fe.

Lupe no volvió a disfrutar la bonanza material que hizo parte de su vida como estrella de la canción, pero ya no la necesitaba. En las postrimerías de su vida Lupe Yolí fue una mujer feliz que encontró paz y serenidad estudiando la Biblia y ayudando al prójimo.

Al contrario del mito que se ha perpetuado, según el cual Lupe murió pobre y adicta a las drogas, la realidad es que tanto en lo espiritual como en lo económico su vida había comenzado a mejorar. Lupe había logrado equilibrar sus finanzas. Aunque obviamente no poseía la holgura económica del pasado, viajaba por todo Estados Unidos, el Caribe y hasta Suramérica predicando la palabra de su fe. La cantante convertida en predicadora también grabó música del evangelio, la cual vendía en sus peregrinajes. Aunque muchos la tenían por indigente, la verdad es que no estaba en la ruina: tenía con qué vivir y eso era de por sí un gran logro.

Su mejor amiga, Antonia Rey, nos cuenta: Lo único que Lupe quería era que la respetaran. Después de lo que ahora sabemos, no sólo se ha ganado nuestro respeto sino también nuestra admiración. No hay duda de que vivió una vida que sólo se podría definir como a la manera de La Lupe.

La actriz y amiga de siempre, Antonia Rey, que compartió muchos momentos de la vida con la Reina de la Canción Latina.

Se nombra una calle en recuerdo de la Reina

Al fin, diez años después de su repentina muerte, el mayor reconocimiento que un ser humano puede recibir, le fue presentado en forma póstuma a La Lupe. Su último lugar de residencia, en el cruce de la calle 140 y la avenida Saint Ann en el Bronx, fue rebautizado La Lupe Way para honrar su recuerdo.

Su nombre es ahora un elemento permanente del paisaje urbano de la ciudad de Nueva York, la ciudad que le dio la fama y el reconocimiento universal y la que le dio las penas y tristezas, pero también la ciudad que la vio sobreponerse a los demonios del misticismo descarriado y en la que terminó encontrando la paz interior que había buscado tanto tiempo.

Esta señal cuenta la historia. El 13 de junio de 2002, la calle 140 Este
y Avenida St. Ann recibe formalmente el nombre de La Lupe Way.

Si las futuras generaciones preguntan quién fue La Lupe, seguramente alguien tendrá a flor de labios su relato, y ahora, conociendo la
verdad sobre su vida, su recuerdo hará perpetuo el legado de la Reina.
Su música y su legado continúan y, por ende, pasarán de una generación a otra.

Su supuesto uso de drogas

Por años se ha alegado que la razón de la debacle en la vida y la carrera de Lupe Victoria Yolí Raymond fue su adicción a las drogas. Inclusive, un reciente libro sobre la diva incluye un capítulo titulado El
Infierno de las Drogas. La realidad es que después de más de dos años
de investigación y de haber conversado con personas que compartieron

Rainbow García (izquierda), su hijo Justin (nieto de La Lupe) y un pariente sin identificar se unen a René Camaño y Charisse Camaño-Moffet (derecha) durante la celebración del bautismo de La Lupe Way, un merecido tributo a la Reina de la Canción Latina.

la vida y la época con Lupe Yolí, estamos convencidos de que los rumores referentes a su adicción a las drogas son sencillamente parte del mito y carecen de una base veraz y firme. El empecinamiento de algunos de manejar esta versión se basa en la promulgación de lo que se comenzó a regar en Cuba a partir del arresto de Yoyo Mesías y la salida de La Lupe de Cuba, donde se promulgó que la cantante había despilfarrado su vida. Pero más importante aún es que la repetición de esta mentira niega los testimonios de individuos como Tito Puente, Mongo Santamaría, Joe Conzo, Héctor Maisonave, Johnny Pacheco, Ismael Miranda, Antonia Rey, Johnny Surita, Mario DiFrisco y otra gran cantidad de personas de una credibilidad intachable y que realmente conocieron y compartieron con Lupe Yolí. Esa fijación de algunos niega el testimonio de Lupe Victoria Yolí Raymond, quien al convertirse al evangelio, forzosamente estaba obligada a confesar su uso de narcóticos al abandonar el mundo laico. Su uso de narcóticos nunca se mencionó en su testimonio y por esto debemos entender que la diva nunca utilizó drogas. Por consiguiente concluimos que el alegado uso de drogas por la cantante es otro de los mitos que a través del tiempo formaron la leyenda de La Lupe, y esta leyenda debe ser sojuzgada a la memoria de Lupe Yolí.

Lupe 'Victoria 'Yoli 'Raymond
23 de diciembre de 1936 – 29 de febrero de 1992

Por siempre la Reina de la Canción Latina

Discografía completa de La Lupe

Con el Diablo en el Cuerpo   Discuba   1961

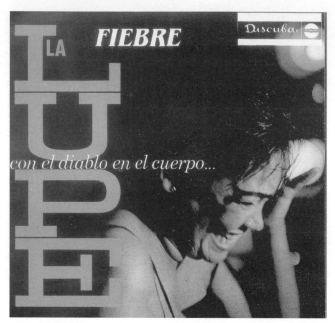

Discuba DCD 551

Lado A: **Con el Diablo en el Cuerpo** (Julio Gutiérrez), **I Miss you So** (J. Henderson-B.Scott-S.Robbinss) Versión en español (Enrique Herrera), **La Mentira** (Angelita Rigual), **Crazy Love** (Paul Anka) Versión en español (Eddie Gaytán),**Yo se que te Quiero** (Penton George), **Es una Bomba** (Mejías Ramor-George)

Lado B: **Fiebre** (Davenport-Cooley), **Quiéreme Siempre** (G.Lynes-R. Guthrie) Letra en español (Ven Molar), **So its Goodbye** (Paul Anka) Letra en español (Eddie Gaytán), **El Recuerdo Aquel** (Rey Díaz Calvet), **No me Quieras Así** (Facundo Rivero), **Alone-Je Pars!** (Selma Craft) Versión en español(Eddie Gaytán).

La Lupe is Back   **Discuba**   **1962**

Discuba Label DCD 582

Lado A: **No quiero Más** 2:29 (D.R.), **Canción de Orfeo** 2:38
(Bonfa-Maria-Molar), **Collar** 1:59 (D.R.), **Maria Bonita** 2:19 (Agustín Lara), **Es que Soy Yo** 2:19 (D.R.), **Corazón Para Qué** 3:07 (D.R.)

Lado B: **Silueta** 2:37 (D.R.), **Don Chimbilíco** 2:40 (D.R.),
Sinceramente 2:30 (D.R.), **Alma Llanera** 2:00 (Gutiérrez), **No te Vayas** 2:27 (D.R.), **Mañana** 2:53 (D.R.)

Mongo Santamaría Introduces La Lupe Riverside   1963

Riverside Label MCD9210-2

Lado A: **Besito Pa Ti** 4:39 (Santamaría-Miller), **Kiniqua** 4:19 (Antar Daly), **Canta Bajo** 3:35 (Pat Patrick), **Uncle Calypso** 3:27 (Armando Peraza), **Montuneando** 4:01 (Hernández-Santamaría),

Lado B: **Que Lindas Son** 4:38 (Santamaría), **Oye este Guaguancó** 2:45 (Isaac Irrizary), **Este Mambo** 4:39 (René Hernández), **Quiet Stroll** 7:59 (Pat Patrick).

Grabado en Plazaa Sound Studios, Nueva York, en diciembre 17 de 1962 y enero 7 y 9 de 1963. Esta grabación fue digitalmente remasterizada en 1963.

The King Swings the Incredible Lupe sings   **Tico   1965**

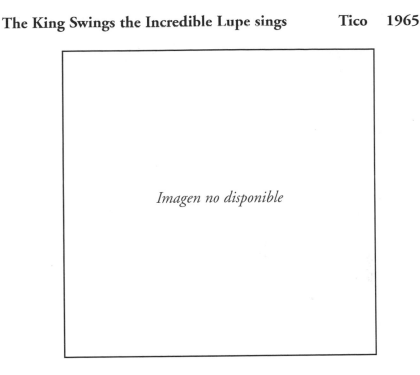

Imagen no disponible

Mono L.P. 1121and 1121ª, Stereo S.L.P. 1121, 1121ª 33⅓ rpm
Producido por Teddy Reig

Lado A: **Todo** 2:00(A.Alguarod) Canciones del Mundo, **Yo no lloro más** 2:58 (Myrta Silva) Peer International Corp. (BMI), **Bomba NaMa** 2:44 (Rafael Dávila) Longitude Music (BMI), Adiós 2:30 (Moras-Cour-Martínez) Southern Music Publishing Co., Inc., **Menéalo** 3:04(Luis Kalaff) Peer International Corp.,(BMI), **Mensaje a Juan Vicente** 2:38 (Billo Frometa) Peer International Corp.,(BMI)

Lado B: **Jala Jala** 2:14 (Roberto-Andy-Pellín) Longitude Music (BMI), **Maria Dolores** 3:43 (Alguerod) SGAE, **Mi Socio** 2:38 (Rafael Dávila) Longitude Music (BMI), **Que te Pedí** 4:15 (Muelensde la Fuente) Peer International Corp.,(BMI), **Junto a Ti** 3:08 (A. Alguerod d) SGAE, **Elube Changó** 2:15 (Alberto Rivera) Peer International Corp.,(BMI).

Fecha de grabación: 4/2/65   Correcciones hechas: 8/24/65

Tu y Yo   **Tico**   **1965**

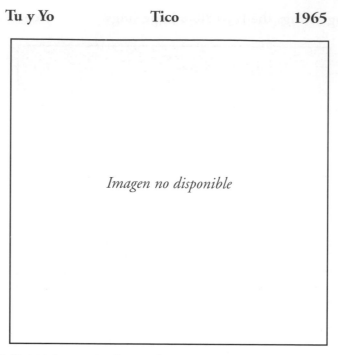

Imagen no disponible

Mono L.P. 1125, 1125ª, Stereo S.L.P.1125, 1125ª 33⅓ rpm
Producido por Teddy Reig

Lado A: **Yo soy como soy** 2:20 (R. Dávila) Longitude Music
(BMI), **Con mil Desengaños** 3:36 (René Touset) Moki Music Inc.
(BMI), **Lola** 2:10 (Rights Reserved), **Y sin embrago Te Quiero** 2:36
(Quintero, León, Quiroga) Pomace Music/Chappell & Co., **Buen
Viaje** 2:55 (Danny Small) Pomace Music/Chappell & Co., **El Pajari-
llo** 3:04 (M.Anonino-L.Loyola-L.Ángel)

Lado B: **Guajiro de Cunagua** 3:16 (Juan González) Windswept Music, **Lamento Borincano** 2:34 (Rafael Hernández) Peer International Corp.,(BMI), **Titita** 1:58 (Crucito Pérez) Peer International
Corp.,(BMI), **Viva mi Tristeza** 3:18 (Armando Manzanero) Peer International Corp.,(BMI), **Agua de Beber** 2:30 (Jobim-DeMoraes)
Corcovado Music/VM Enterprises, **Yo Traigo Bomba** 2:20 (R. Dávila) Longitude Music (BMI).

Fecha de publicación: 13/10/65

Homenaje a Rafael Hernández   Tico   1966

Mono L.P. 1131, 1131ª, Stereo S.L.P.1131, 1131ª 33⅓ rpm
Producido por Pancho Cristal

Lado A: **Buche y Pluma Na'Ma** 2:06, **Muchos Besos** 3:21,
Los Carreteros 3:02, **Amor Ciego** 2:49, **Las Palomitas** 3:40, **Canta,
Canta** 2:00

Lado B: **Esas no son de aquí** 3:07, **Malditos Celos** 2:34, **No
me quieras tanto** 3:51, **Jugando Mama, Jugando** 2:20, **Romance**
3:07, **Medley Preciosa** Cuatro Personas Cachita El Cumbanchero
3:20.

Todas las canciones fueron compuestas por Rafael Hernández
y publicadas por Peer International Corporation.

Fecha de publicación: 3/6/66

La Lupe y su Alma Venezolana   Tico   1966

Mono L.P. 1141,1141ª, Stereo S.L.P. 1141, 1141ª 33⅓ rpm
Producido por A. Palacio

     Lado A: **Golpe Tocuyano** 3:14 (Tino Carrasco) (D.R.), **El Piragüero** 3:28 (Sarabia) Morro Music Corp., **Canto a Caracas** 2:47 (Billo Frometa) (D.R.), **Adiós** 2:02 (Ángel Briceño) (D.R.), **Contrapunto** 2:43 (Rafaela A.Ramos) (D.R.), **Ódiame** 2:32 (Rafael Otero) Uní música.

     Lado B: **El Gavilán** (Crescencio Calcedo) 2:42 Uní música, Barlovento (Eduardo Serrano) 3:10 (D.R.), **Sabaneando** 3:10 (Juan Vicente Torrealba) Morro Music Co., **Seis por Numeración** (Víctor, V.Morales, M. Anónimo) (D.R.), **La Suegra** 2:38 (Héctor Larrea) (D.R.), **La Flor de la Canela** 2:30 (Chabuca Granda) Southern Music Corp, ASCAP.

     Fecha de publicación 25/4/66

A mí me llaman La Lupe   **Tico**   **1966**

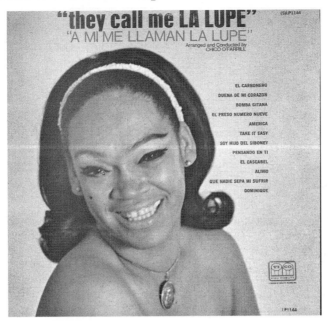

Mono L.P. 1144, T.R.L.P. 1144ª , Stereo S.L.P. 1144, 1144ª 33⅓ rpm
Producido por Al Santiago
Arreglado y dirigido por Chico OFarrill

Lado A: **El Carbonero** 2:07 (Iván Fernández) Edward B. La-
rras Music, **Dueña de mi Corazón** 2:32 (PepeDelgado) Peer International, **Bomba Gitana** 2:07 (Eleazar López C.) Longitude Music, El
Preso Numero Nueve 2:28 (Hermanos Cantoral) Peer International,
América 2:07 (Leonard Bernstein/Stephen Sondheim) WSS Music-
/Chappell & Co., **Take it Easy** 2:17 (A. DeBru-I.Taylor-V.Mizzy) An-
ne-Rachel Music/Fred Ahlert Music.

Lado B: **Soy Hijo del Siboney** 2:15 (Juan Mariano Romero)
Peer International, **Pensando en Ti** 2:36 (Alfonso Torres) Peer International, **El Cascabel** 2:59 (Julio Cobos) Peer International, **Que Nadie sepa mi Sufrir** 2:19 (Enrique Dizeo-Ángel Cabral) Bourne Co/Sa-
dain Latin, **Dominique** 2:14 (Souer Sourire) Colgems EMI Music.

Fecha de publicación: 26/8/66

El rey y yo   **Tico**   **1967**

Imagen no disponible

Mono L.P. 1154, 1154ª, Stereo S.L.P. 1154, 1154ª 33⅓ rpm
Producido por Pancho Cristal

Lado A: **Cumba, Cumba** 2:15 (Lupe Yolí) Full Keel Music
ASCAP, **Ruega por Nosotros** 3:59 (Alberto Cervantes / Rubén Fuentes) Peer International, **La Salve Plena** 2:52 (Eleazar López) Longitude Music, **Yesterday** 3:28 (Lennon/McCartney) Northern Songs, **Oriente** 4:03 (Lupe Yolí) Longitude Music BMI, **Jala Jala Panameño** 4:03 Medley: **Si me Quieres** (Diomedes Núñez) El Tambor de la Alegría (C.T. Dávila/J.F.Paredes) Peer International.

Lado B: **¿Y que?** 2:07 (Rafael Dávila) Longitude Music BMI, **Esas Lagrimas son Pocas** 3:32 (Arturo Díaz Rivero) Peer International BMI, **Mi Gente** (Lupe Yolí) 2:47 Full Keel Music ASCAP, **El Amo** 2:16 (D.R.), Steak-o-Lean 3:23 (Bobby Capers) Mongo Music BMI, Rezo-A-Yemayá 3:10 (D.R.).

Fecha de publicación: 25/3/67

Dos Lados de La Lupe   Tico   1968

Mono L.P. 1162, 1162ª, Stereo S.L.P. 1162, 1162ª   33⅓ rpm
Producido por Pancho Cristal

Lado A: **Que bueno Boogaloo** 2:45 (Lupe Yolí) Longitude
Music, **Te Voy a Contar Mi Vida** 2:00 (Augusto Alguero) (D.R.),
Going out of My Head 2:42 (Teddy Bandazo/B. Weinstein) Poly-
gram Intl., **La Plena Buena** 1:52 (Paula Raymond) Longitude Music,
Caracas Cuatricentenario (Lupe Yolí) 1:50 Longitude Music.

Lado B: **Si Vuelves Tu** 3:11 (P. Mauriat- R.Maumoudy) Rightsong Music Letra en español Lupe Yolí, **Maldita Seas** 2:38 (Ramón
Marrero) Peer International BMI, **El Emigrante** (J. Vilderama-M.Pit-
to-M.Serrate) Morro Music/SGAE, **Sin Fe** 2:18 (Bobby Capó) E.B-
.Marks Music Corp. BMI, **Cantando** 2:46 (D.R.)

Fecha de publicación: 1/8/68

Reina de la canción latina   **Tico**   **1968**

Mono L.P. 1167, 1167ª, Stereo S.L.P.1167, 1167ª 33⅓ rpm
Producido por Pancho Cristal

Lado A: **Amor Gitano** 2:55 (Héctor Flores Gauna) Morro
Music BMI, **La Tirana** 3:03 (A.Curet Alonso) Longitude Music BMI,
Aun 2:15 (Ramón Marrero) Peer International BMI, **Tu me Niegas**
3:45 (J.B. Terraza) Peer International- BMI, **Negrura** 2:35 (Luis Cis-
neros) Peer International BMI.

Lado B: **Fever** 2:38 (John Davenport/Eddie Cooley) Fort
Knox Music/Trio Music, **Este Ritmo Sabrosón** 1:46 (William García)
Longitude Music BMI, **Busamba** 2:50 (A. Curet Alonso) Longitude
Music BMI, **Soy Sonerita** 2:20 (Lupe Yolí) Longitude Music BMI,
Mangulina Chismesito 2:16 (Ramón Marrero) Peer International
BMI.

Fecha de publicación: 23/2/68

La era de La Lupe   **Tico**   **1968**

Mono L.P.1179,1179ª, Stereo S.L.P. 1179, 1179ª 33⅓ rpm
Producido por Pancho Cristal
Areglado y dirigido por Héctor De León

Lado A: **Corazón de Acero** 2:37 (Luis Kalaff) Peer International BMI, **You dont know how glad I am** 2:40 (Jimmy Williams-
/Larry Harrison) Screen Gems EMI Music/IZA Music, **La Cigarra**
2:51 (Ray Pérez-Soto) Peer International BMI, Carcajada Final 2:47
(C. Curet Alonso) Morro Music, **Engañado** 2:21 (Luis Abelardo Nú-
ñez/Tito Barrera) BMI Blackwood Music

Lado B: **Guantanamera a la Vírgen de la Guadalupe** 3:10
(Martí-Espigul) Lyrics Lupe Yolí, Peer International, **Jala-Jala** 2:40 (Ismael Rivera), Longitude Music BMI, **El hijo sin Nombre** 2:20
(D.R.), **Solfeo de Ave Maria** 3:00 (Lupe Yolí) Longitude Music, **Bembé Pata Pata** 3:55 (Lupe Yolí) Lomgitude Music BMI.

Fecha de publicación: 22/8/69

La Lupe es la reina   Tico   1969

Imagen no disponible

Mono T.R.L.P. 1192, 1192ª, Stereo T.R.S.L.P. 1192, 1192ª 33⅓ rpm
Producido por Art Kapper

Lado A: **Puro Teatro** 2:55 (C. Curet Alonso) Uní música, **Sueno** 2:46 (Gabriel Ruiz) Peer International- BMI, **Ultimo Adiós** 2:51 (Rubén Estefano) (D.R.) **A la orilla del Mar** 2:50 (M. Esperon/E-.Cortazar) Peer International, **El Día que yo Nací** 2:37 (Quintero, Guillén, Mostazo) Southern Music/ SGAE

Lado B: **La Reina** 2:16 (Lupe Yolí) Longitude Music-BMI, **Me siento Guajira** 2:50 (Lupe Yolí) Longitude Music BMI, **Café con Leche** 2:02 (Los Bocheros) Peer International BMI, **Thats the Way its Gonna Be** 2:45 (Bob Gibson/Phil Ochs) Warner Bros. Music, **Guanguancó Bembé** 5:00 (Lupe Yolí) Longitude Music BMI.

Fecha de publicación: 26/3/69

Definitivamente LaYiyiyi   **Tico**   **1970**

Mono L.P. 1199, T.R.L.P. 1199ª, Stereo S.L.P. 1199, 1199ª 33⅓ rpm
Producido por La Lupe
Co-Producido por Willie García

Lado A: **Fíjense** 2:26 (C. Curet Alonso), Morro Music Corp BMI, **Miedo** 2:35 (R.De León) (D.R.), **Silencio** 3:14 (Rasso/Brezza-/Ballay/Cadalso) Letra en español Lupe Yolí, (D.R.), **Quisqueya** 2:21 (Rafael Hernández) Peer International BMI, **Avanza y Vete de Aquí** 2:10 (C. Curet Alonso) Morro Music.

Lado B: **Toitica Tuya** 2:15 (Javier Vázquez) Longitude Music, **A Borínquen** 2:12 (R. Vélez) (D.R.), **Si tu no Vienes** 3:12 (Lupe Yolí) Longitude Music- BMI, **La Vírgen Lloraba** 2:07 (Lupe Yolí) Longitude Music BMI, **Saraycoco** 3:00 (Lupe Yolí) Longitude Music BMI.

Fecha de publicación: 14/10/69

The Genius Called the Queen   Tico   1970

Mono L.P. 1212, 1212ª, Stereo S.L.P.1212,T.R.S.L.P. 1212ª 33⅓ rpm
Productor ejecutivo: Miguel Estivil
Producido por Fred Weinberg
Coordinado por Willie García

Lado A: **Como Acostumbro** (My Way) 3:15 (P. Anka/J. Revaux/C. Francois) Letra en español by La Lupe, SDRM/Chrysalis Standards, **No Matarás** 2:25 (Joe Naranjo Ferrari) (D.R.), **Soy tu Esclava** 2:40 (Miguel Estivil) arreglado por Osvaldo Esquivil, Full Keel Music ASCAP, **Por Caridad** 2:35 (Rafael Solano) Peer International BMI, **Unchained Melody** 3:00 (Taret-North) Frank Music ASCAP

Lado B: **Chumba la Chumba** 2:05 (Manuel Sánchez Acosta) Unimúsica O/B/O Enlasa, **Me Vengaré** 3:15 (Lupe Yolí) Longitude Music BMI, **Menú de Chivo** 2:16 (A.R. Deffitt Martínez) Morro Music Corp BMI, **Amor que re Di** 2:30 (Cintas-Castellanos) SGAE, **Moforivale** 3:00 (Lupe Yolí) Branston Music BMI.

Fecha de publicación: 5/3/70

La Lupe en Madrid   Tico   1971

Mono L.P.1229, T.R.L.P. 1229ª, Sterco S.L.P. 1229, T.R.S.L.P. 1229ª
33⅓ rpm
Producido por Miguel Estivil
Arreglado y dirigido por Osvaldo Estivil

Lado A: **El Malo** 2:35 (Ramón Marrero) Peer International-BMI, Ciao Amore 2:27 (D.R.), **Estoy Aquí/I Have Been Here** 2:14 (Letras de Rudy Calzado) (D.R.), **Se me hace la boca Agua** 2:09 (William García), Peer International, **Me vas a Recordar** 2:33 (Armando Manzanero) BMI

Lado B: **A la Caridad del Cobre** 3:11 (Celina y Reutilio) (D.R.), **Camina y Ven** 3:26 (Giro Rodríguez) Peer International-BMI, Ingrato Corazón (D.R.), **Estando Contigo** 1:51 (A. Alguerod /A.Guijarro) EMI Robbins Catalog, **De Cualquier Manera** 2:18 (A.Kalazan)

Fecha de publicación: 25/2/71

Stop, Im Free Again   **Tico**   **1972**

Compatible Stereo-Mono C.L.P. 1306, T.C.L.P. 1306ª 33⅓ rpm
Producido por Joe Cain
Arreglado por Luis Cruz

Lado A: **Con un nuevo Amor** 2:57 (Lupe Yolí) Windeswept Pacific Songs, **Rumberos del Ayer** 2:27 (B. More) Peer International Corp. BMI, **Lupe, Lupe, Lupe** 2:19 (Ismael Miranda) FAF Publishing (BMI), **Cubana Caliente** 2:38 (Ismael Miranda) FAF Publishing (BMI), **La Borracha** 2:35 (Lupe Yolí) Windsweept Pacific Songs.

Lado B: **Tan Lejos y sin embargo Te Quiero** 3:26 (B. Collazo) Peer International Music Corp. (BMI), **Vagabundo** 3:36 (Alfredo Gil) BMG Songs o/b/o EDIM, **Free Again** 2:54 (R.Colby/J. Peselli/A-.Canfora) Peer International, **Puedes decir de Mí** 2:40 (M. Chiriboga) Peer International Corp.-BMI, **Mil Besos** 2:04 (E.Valdelmar) Peer International-BMI.

Fecha de publicación: no disponible

¿Pero Como va ser?   **Tico**   **1973**

Compatible Stereo C.L.P.1310,T.C.L.P.1310-B 33⅓ rpm
Producido por Joe Cain
Arreglado y dirigido por Joe Cain

Lado A: **Lo que pasó, pasó** 3:31 (M. Pércz Morales) Full Keel Music- ASCAP, **No me quieras Así** 3:40 (Facundo Rivero) Robbins Music Corp. (ASCAP), **Se te Escapa** 3:04 (M. Pérez Morales) Full Keel Music ASCAP, **Y Entonces** 2:54 (Sylvia Rexach) Peer International Music Corp, (BMI), **Carlos Domínguez** 2:25 (Paul Simon-a/k/a P.Kane) R.B. Marks Music (BMI).

Lado B: **Palo Mayimbe** 3:12 (Javier Vázquez) VEV Publishing/ASCAP, **A Benny Moré** 3:24 (Lupe Yolí) Longitude Music (BMI), **Adiós Tristeza** 3:06 (Lupe Yolí) Longitude Music (BMI), **Juan Manuel** 2:46 (Lupe Yolí) Longitude Music (BMI), **El Buey** 2:23 (José Marino) Full Keel Music (ASCAP)

Fecha de publicación: no disponible

Un Encuentro con La Lupe   Tico   1974

T.C.L.P. 1323
Producido por Joe Cain
Arreglado y dirigido por Joe Cain, Papo Lucca y Héctor Garrido

Lado A: **La Mala de La Película** 2:47, **Sargaso** 3:12, **Sin Maíz** 3:14, **¿Mas Teatro?** 3:57, **Guajira Pa'Ti** 3:16

Lado B: **Yo Creo en Ti** 3:30, **El Verdugo** 2:59, **Carnaval** 3:16, **Eres Malo y Te Amo** 2:31, **Pa'Lante y Pa'Tras** 3:21

Grabación: 1973 Broadway Recording Studios, NYC
Ingeniero: Pat Jacques
Diseño: Yogi Rosario

Lo Mejor   **Tico**   **1975**

C.L.P.-1318 (Compilación)

Lado A: **La Tirana** 3:03 (C.Curet Alonso) Windswept Pacific d/b/a Longitude Music, **Oriente** 4:04 (Lupe Yolí) Longitude Music, **Puro Teatro** 2:55 (C. Curet Alonso) Uní música o/b/o EMLASA, **Se Acabó** 3:25 (J. Gutiérrez) Peer International Corp, (BMI), **Como Acostumbro** 3:15 (P.Anka/Revaux/La Lupe)

Lado B: **Que te Pedí** 4:17 (Muelles-De La Fuente) Peer International Corp (BMI), **Lamento Borincano** 2:54 (Rafael Hernández) Peer International Corp. (BMI), **Con Mil Desengaños** 3:36 (René Touzet) Moki Music Co. (BMI), **Yo soy como Soy** 2:25 (R. Dávila) Little Dipper Music Corp. (BMI), **Amor Gitano** 2:55 (H. Flores) Morro Music Inc. (BMI)

Ésta es una compilación.

Tico-Alegre All Stars   Tico-Alegre   1974

Imagen no disponible

T.C.L.P. 1325
Producido por Joe Cain
Maestro de ceremonias: Paco Navarro y Symphony Sid
Direcor musical: Tito Puente

Lado A: **Titos Odyssey** 5:34 (Tocado por la Orquesta de Tito Puente); **Confusión** 4:05 (Vicentico Valdes con la Orquesta de Tito Puente); **Boom Boom Lucumi** 3:01 (Joe Cuba and his Sextet); **Changó** 3:46 (**La Lupe con la Orquesta de Tito Puente**)

Lado B: **Son tus Celos** 4:33 (Charlie Palmieri y su Orquesta), **Si yo encontrara un Amor** 2:28 (Yayo el Indio con Charlie y su Orquesta), **Sale el Sol** 3:05 (Ismael Rivera y sus Cachimbos), **La Cosa Alegre** 8:53 (Alegre All Stars con Charlie Palmieri.

Única en su clase   **1977**

Imagen no disponible

T.S.L.P. 1415
Producido por Fabián Ross and Louie Ramírez
Productor ejecutivo Jerry Masucci

Lado A: **Cualquiera** 2:44 (Lolita de la Colina) Peer Internatio-
nal (BMI), **Besito Pa'Ti** 5:15 (Mongo Santamaría) Mongo Music
(BMI), **No Pienses Mal de Mí** 3:13 (La Lupe) VEV Publishing AS-
CAP, **Todo Aquel** 2:54 (Lolita de la Colina) Peer International (BMI),
Dueña del Cantar 3:29 (La Lupe) VEV Publishing ASCAP.

Lado B: **Por Accidente** 3:44 (Lolita de la Colina) Peer International (BMI), **La Lupe se ha Enamorado** 3:07 (Lolita de la Colina)
Peer International (BMI), **Canta Bajo** 3:35 (La Lupe) ASCAP, **Tu Vida es un Escenario** 3:13 (T. Fundora) Peer International, **Esta es mi
Vida** 3:30 (N.Newell/B.Canfora) EMI Miller Catalog

Ésta es una compilación.
Publicación 1977

La Lupe Apasionada   Tico-Alegre   1978

T.S.L.P.1421 Compatible Stereo
Compilación de Al Santiago
Productor ejecutivo; Jerry Masucci

Lado A: **Carcajada Final** 2:47 (C.Curet Alonso) Morro Music (BMI), **Si Vuelves Tu** 3:11 (P, Muriat-R.Maumoudy) Rightsong Music, **Lo que pasó pasó** 3:31 (M. Pérez Morales) Full Keel Music AS-CAP, **Tan Lejos y sin Embargo te Quiero** 3:26 (R. Collazo) Peer International (BMI), **Soy tu Esclava** 2:40 (Miguel Estivil) Full Keel Music (ASCAP)

Lado B: **Esas Lagrimas son Pocas** 3:31 (Arturo Díaz Rivero) Peer International (BMI), **Fíjense** 2:26 (C. Curet Alonso) Morro Music (BMI), **No me quieras Tanto** 3:51 (Rafael Hernández) Peer International (BMI), **Dueño de mi Corazón** 2:30 (Pepe Delgado) Peer International, **Adiós** 2:50 (P. Cour/M. More/A. Martínez) ASCAP

Ésta es una compilación.

La Pareja   **Tico**   **1978**

Imagen no disponible

Compatible Stereo, JMTS 1430
Producido por Louie Ramírez

Lado A: **Dile que Venga** 3:29 (La Lupe) Fania Publishing/B-MI, **Pobre de Mi** 3:35 (El Topo) Guanin Publishing, **No me Importa** 4:06 (D.R.), **Calumbo** 3:55 (Johnny Ortiz) Fania Publishing/BMI

Lado B: **La Lloradora** 4:40 (Frank Cabrera) Fania Publishing/BMI, **Porque así es que tenía que ser** 4:29 (C. Curet Alonso) Fania Publishing/BMI, **Como un Gorrión** 3:55 (Joan Manuel Serrat) SGAE, **Amor Verdadero** 5:07 (La Lupe) Fania Publishing/BMI.

Fecha de publicación: no disponible

En Algo Nuevo   **Tico**   **1980**

JMTS 1438
Producido por Louie Ramírez

Lado A: **Contigo, conmigo** 4:55 (Bobby Capo) Peer International, **Como me Gustaría** 3:28 (L. Ramírez/La Lupe) Fania Publishing/BMI Vaya Publishing, ASCAP, **Sufriendo** 5:31 (D.R.), **Baja las Luces** 4:29 (D.R.)

Lado B: **Soul Salsa** 3:34 (D.R.), **Es mi Casa** 3:51 (D.R.), **Palenque** 5:30 (D.R.), **No Volveré a Amar Así** 3:32 (D.R.).

Esta es la última grabación hecha por La Lupe

The Best   Sonido   1997

VS 114

Lado A: **La Tirana** 3:03 (C. Curet Alonso) Windswept Pacific, **Si Vuelves Tu** (P. Muriat R.Maumoudy), **Que te Pedí** 4:17 (P. Mulens/G.L.De la Fuente) Peer International, **Como Acostumbro** 3:15 SDRM/Chrysallis Standards, **Amor Gitano** 2:55 (H. Flores) Morro Music, **Puro Teatro** 2:54 (C. Curet Alonso) Uní música o/b/o EMLASA, **Carcajada Final** 2:49 (C. Curet Alonso) Morro Music, Lo que pasó pasó 3:33

Lado B: **Tan Lejos y Sin Embargo te Quiero** 3:26 (B.Collazo) Peer International, **Esas Lagrimas son Pocas** 3:14 (Arturo Díaz Rivero) Peer International, **Fíjense** 2:26 (C. Curet Alonso) Morro Music, **No Me Quieras Tanto** 3:48 (Rafael Hernández) Peer International, **Dueño de mi Corazón** 2:30 (Pepe Delgado) Peer International, **Se Acabó** 3:25 Peer International, **Esta es mi Vida** 3:32 (Newell/B. Canfora) BMI Miller Catalog.

(P) & © 1997 Sonido, Inc. Ésta es una compilación

The Queen Does Her Own Thing   Sonido   2000

T.R.L.P.1445
The Queen Does Her Own Thing
Producido por Harvey Averne

Lado A: **Ciao My Love** 2:32 (Harvey Averne) Whistle Music (BMI), **Down on Me** 2:48 (Janis Joplin) Slow Dancing Music, **Bring it Home to Me** 2:58 (Sam Cooke) (D.R.), **Touch Me** 2:24 Nipper Music/ASCAP, **Dont Play that Song** 3:06 (Ahmet Ertegun/Betty Nelson) Hill & Range Songs

Lado B: **Once we Loved** (Se Acabó) 3:27 (J. Gutiérrez /R. Striano) Letras en inglés de Lenny Striano, Peer International, **Always something there to Remind Me** 2:29 (B. Bacharach/H. David) Casa David, **Love is so Fine** 2:32 (Harvey Averne) Whistle Music (BMI), **Dont Let Me Lose This Dream** 2:46 (Aretha Franklin/Ted White) Warner TamelanePublishing/14th Hour Music Inc., **Twist & Shout** 2:38 (B.Medley/B. Rusell) Screen Gems-EMI Music, Hill & Range Songs, Sloopy Il, Inc.

Laberinto de Pasiones   Sonido Inc.   2000

#VS 114
Producción, cordinación y supervisión : Víctor Gallo

Lado A: **Besito Pa' Ti** 5:15 (Mongo Santamaría) Mongo Music, **Guantanamera a la Vírgen de la Guadalupe** 3:00 (Martí-Espigul), **Fever** 2:38 (John Davenport/J. Eddie Cooley) Fort Knox Music Inc./ Trio Music Co. Inc., **Como me Gustaría** 3:26 (Louie Ramírez-/Lupe Yolí) FAF Publishing/BMI-VEV/ASCAP, **Dueña del Cantar** 3:25 (Lupe Yolí) 3:25 VEV Publishing/ASCAP, **Ciao My Love** 2:31 (Harvey Averne) Whistle Music, Inc., **Mil Besos** 2:04 (Emma Elena Valdemar) Peer International Music

Lado B: **Si tu no Vienes** 3:13 (Lupe Yolí) BI Longitude, **La Lloradora** 4:40 (francisco Cabrera) FAF Publishing (BMI), **Twist N Shout** 2:40 (Bert Rusell/Phil Medley), **Amor Verdadero** 5:07 (Lupe Yolí) FAF Publishing (BMI), **Quisqueya** 2:21 (Rafael Hernández) Peer International (BMI), **Cubana Caliente** 2:32 (Ismael Miranda) FAF Publishing (BMI), **El Día que Yo Nací** 2:37 (Antonio Quintero-/Pascual Guillén/Juan Mostazo) Southern Music SGAE

Nostalgias **1992**

JMTS1443
Tico Label

Side A: **La Tirana** (C.Curet Alonso) Windswept Pacific, Longitude Music 3:04, **Si Vuelves Tu** (P. Muriat-R. Maumoudy) Spanish Lyrics: Lupe Yolí Rightsong Music 3:12, **Que te Pedí** (Mullens/De la Fuente) Peer Int'l,/BMI 3:10, **Tu Vida es un Escenario** (Lolita de la Colina) Peer Int'l/BMI 2:43

Side B: **Mas Teatro** (C. Curet Alonso) Unimúsica 3:57, **Como Acostumbro** (P. Anka-Revaux-Francois-La Lupe) SDRM/Chrysalis Standards 3:17, **Amor Gitano** (H. Flores) Morro Music Inc./BMI 2:51, **Adiós** (Mores-Cour Martínez) Southern Music Publishing/ASCAP 2:51, **Puro Teatro** (C. Curet Alonso) Unimúsica 2:56

La Lupe Grabado en Vivo   Salsa Live Productions   2002

Nadie canta como la reina
S.L.P.-757011

El disco compacto incluye: **Dueña del Cantar** 3:25(La Lupe) arreglos de Marty Sheller, **Cualquiera** 2:44 (Lolita de la Colina) arreglos de Horacio Malvicino, **La Salve Plena** 3:08 (Eleazor López) arreglos de Tito Puente, **Dont Play that Song** 3:07 (Ahmet Ertegún) arreglos de Marty Sheller, **Como un Gorrión** 9:03 (Juan Manuel Serrat) arreglos de Tito Puente, **Adiós** 1:52 (Augusto Alguero) arreglos de Tito Puente, **Que te Pedí** 2:20 (Muelens/de la Fuente), **La Tirana** 2:12 (C.Curet Alonso) arreglos de Héctor De León, **Puro Teatro** 2:29 (C. Curet Alonso) arreglos de Joe Cain, **Si Vuelves Tu** 1:58 (Paul Muriat/R. Maumoudy) arreglos de Leroy Holmes, **Buen Viaje** 2:21 (Danny Small), **My Way** (Como Acostumbro) 4:32 (P.Anka/J. Ravaux/C, Francois), **Yesterday** 3:47, **Oriente** 7:21 (la Lupe) arreglos de Tito Puente.

This Compact Disk is based on a mono recording found by producer RichieViera in Cuba. Although it is lacking in quality, equalization and masterization, it provides a good example of La Lupes energy during a performance. It is therefore a product of historical significance.

Nota del autor: Hay tres grabaciones adicionales de la Lupe. Estas son grabaciones gospel y fueron publicadas en casete. Los herederos publicarán estas grabaciones en una fecha posterior. Richie Viera tiene algunas de estas grabaciones disponibles en Puerto Rico.

Sus herederos publicarán pronto las grabaciones gospel de La Lupe. Ellos poseen todos los derechos de las grabaciones de gospel de Lupe Yoli.

Toda la música original de La Lupe está disponible, en su forma original, en Disco compacto. Si desea adquirir su música o cualquiera de las fotografías usadas en este libro, por favor escriba a johnniem15@aol.com. Allí se proporcionan las instrucciones correspondientes.

Créditos